O Amor Companheiro

Francisco Daudt da Veiga

O Amor Companheiro

A AMIZADE, DENTRO E FORA DO CASAMENTO

SEXTANTE

preparo de originais
Virginie Leite

revisão
Clara Diament
Sérgio Bellinello Soares

projeto gráfico e diagramação
Valéria Teixeira

capa e ilustrações
Mariana Newlands

fotolitos
R R Donnelley América Latina

impressão e acabamento
Bartira Gráfica e Editora S/A.

CIP-BRASIL. CATALOGAÇÃO-NA-FONTE
SINDICATO NACIONAL DOS EDITORES DE LIVROS, RJ

V528a Veiga, Francisco Daudt da, 1948-
O amor companheiro: a amizade, dentro e fora do casamento / Francisco Daudt da Veiga. – Rio de Janeiro: Sextante, 2004.
il. ;

ISBN 85-7542-112-3

1. Amor. 2. Afeto (Psicologia). 3. Amizade. 4. Relações homem-mulher. 5. Relações humanas. I. Título.

04-0540. CDD 158.2
CDU 159.942

Editora Sextante (GMT Editores Ltda.)
R. Voluntários da Pátria, 45 – Gr. 1.404 – Botafogo
22270-000 – Rio de Janeiro – RJ
Tel.: (21) 2286-9944 – Fax: (21) 2286-9244
Central de Atendimento: 0800-22-6306
E-mail: atendimento@esextante.com.br
www.sextante.com.br

Para o melhor amigo que
cada um de nós fez na vida.

"Sabe o que é melhor que ser
bandalho ou ser galinha?
Amar.
O amor é a verdadeira sacanagem."

Tom Jobim

Sumário

Amyr Klink*

Este livro é sobre coisas delicadas, flores de estufa: amor, carinho, amizade, encantamento, beleza, nostalgia, *la vita bella*. O livro também fala de paixão, e de excitação romântica, mas fala menos. Ele poderia se chamar como Álvaro Moreyra chamou seu livro de memórias: *As amargas, não...* Pode também se parecer com um livro de jardinagem, pois cultivar essas tais flores de estufa requer trabalho (é verdade que um trabalho gostoso, parecido com lazer) e método, disciplina e investimento da nossa inteligência. Por essas e outras, sempre fui fã do Amyr Klink, aquele que atravessou o Atlântico de barco a remo. Mas não pense que ele foi se lançando assim ao mar, na força e na valentia. Não, ele se preparou cuidadosamente, fez tudo de caso pensado... e se deu bem. O amor companheiro pode acontecer na nossa vida por acidente, e aí tem maior risco de ser acidentado. Ou podemos nos preparar cuidadosamente para entrar nesse oceano, e assim dar mais chance à felicidade.

Espero, com o livro, ajudar os leitores homens a recuperar um potencial afetivo perdido na infância. E as leitoras, uma vez que em geral elas não perderam sua afetividade e sensibilidade, que o crescer não lhes exigiu endurecer tanto, ajudá-las a tomar posse e desfrutar da felicidade de fazer amigas facilmente, a compreender melhor seus homens, e assim aproveitá-los mais.

---

* Jamais chamo prefácio de prefácio, senão ninguém lê.

1. O amor companheiro

Steven Pinker descreve da seguinte maneira essa expressão linda, em seu livro *Como a mente funciona:*

"O amor companheiro, a emoção por trás de uma sólida amizade e do duradouro vínculo afetivo do casamento (o amor que não é romântico nem sexual), tem uma psicologia própria. Amigos ou cônjuges sentem-se como se estivessem em dívida um para com o outro, mas essas dívidas não são contabilizadas, e saldá-las não é um peso e sim profundamente gratificante. Obviamente os favores podem ser catalogados em alguma parte da mente, e se o livro-caixa se mostrar muito desequilibrado a pessoa pode terminar a amizade. Mas a linha de crédito é longa, e os termos de quitação, complacentes. Portanto, o amor companheiro não contradiz a teoria do altruísmo recíproco, mas incorpora uma versão elástica na qual os fiadores emocionais – afeto, simpatia, gratidão e confiança – são esticados até o limite."

Vou comentar algumas partes do texto de Pinker, que podem causar estranheza. Mas antes quero contar como esse simples parágrafo me atingiu ao ponto de querer escrever um livro sobre o amor companheiro. Sempre tendi mais ao solitário, mas a profissão e a família me fazem ver e saber em detalhes a vida de cerca de 30 pessoas por semana. Crescidas as crianças (Patrícia e Gui, que serão muitas vezes citados ao longo deste livro, desde já ficam apresentadas), agora com atividades sociais próprias de que não abrem mão, e com minha mulher (Maria Elisa) freqüentemente atolada no ofício de escrever novelas, vi a oportunidade de viajar sozinho novamente. Atrás de encantamento. Nesse tempo, 2001, eu estava escrevendo mais um *Aprendiz* (depois de meus últimos livros, *O aprendiz do desejo*, de 1997, e *O aprendiz de liberdade*, de 1999), esse novo seria *O aprendiz de encantamento*. Para mim era uma seqüência lógica: aprendo sobre meu desejo e sobre a minha liberdade para aplicá-los na busca do encantamento, aquilo que abastece o espírito. O encantamento, no caso, era a realização de um sonho de mais de 40 anos: conhecer o lugar em Stowe, Vermont, onde Maria von Trapp estabeleceu, nos Estados Unidos, depois de fugir do nazismo e de ganhar sua vida com a Família Trapp de cantores, seus primeiros acampamentos musicais de verão, e que mais tarde se tornou o Trapp Family Lodge, um delicioso hotel em estilo austríaco. Levei um caderno de anotações (onde meus livros começam), o livro do Pinker para reler e três semanas de liberdade bem investida.

É engraçado como dentro do lazer uma rotina se estabelece, separando algo que se pareça mais com trabalho (a leitura e as anotações) de algo que é mais diversão: excursões de carro pelas redondezas, mergulhando pelas estradinhas quase transformadas em túneis luminosos, as folhas de outono multicoloridas das árvores de *maple* me deixando estonteado por sua beleza; ir ao supermercado para comprar um almoço de verduras e cogumelos, azeite extravirgem, sal de aipo, vinho tinto, mas também ir ao supermercado como quem vai a um museu contemporâneo de artes plásticas, o que faço em qualquer país a que vou, entender um pouco daquela cultura exposta nas prateleiras – acho muito mais divertido que qualquer museu; no começo da noite descer ao bar do hotel onde o pianista me recebia, depois que descobriu que eu gostava, com uma música de Ravel, e bater papo com um *bartender* culto a ponto de discutir psicanálise. Reparei que esse revezamento dá mais gosto ao "trabalho" e dá mais gosto ao lazer.

Quando cheguei ao parágrafo que abre este capítulo, a cabeça deu um nó. Um bom nó. Ora, eu buscava encantamento nas coisas e nas memórias de infância, mas o encantamento maior da vida estava ali, na difícil arte do encontro. Vinicius de Moraes disse tudo: "A vida é a arte do encontro, apesar de haver tanto desencontro pela vida." O cérebro humano é o que há de mais complexo sobre a face da Terra. Por conseqüência, a sintonia de dois cérebros não é coisa simples. Em compensação, quando acontece, é capaz de proporcionar mais encantamento do que qualquer outra coisa. Além do mais, já se escreveu tanto sobre paixão e excitação romântica...

Mas tão pouca atenção se dá à amizade, o outro nome do amor companheiro, que resolvi: era esse o meu tema. Que eu tirasse do meu coração e pusesse no papel o apreço que tenho pela amizade, esse verdadeiro porto seguro da nossa emoção; a única coisa que é capaz de manter um casamento feliz por décadas; a única coisa capaz de complementar, ou mesmo substituir a família no sentimento de que existe alguma retaguarda para nós, alguém por você, a família dos que não têm família; uma plataforma de lançamento capaz de te apoiar na hora de aventuras mais arriscadas, como a excitação romântica e a paixão; uma base sólida para experimentar essas aventuras dentro mesmo do amor companheiro; o acolhimento da nossa maior autenticidade, o descanso dos papéis sociais representados; a tolerância sem superioridade com nossas mesquinharias e nossos momentos de alma pequena, quando nada vale a pena; o único lugar onde se pode falar abobrinhas alternadas com as mais sérias confidências, aquilo que se fala para quem se confia, em quem se tem fé, em quem se acredita.

Quando Pinker fala em livro-caixa e contabilidade dentro do amor companheiro, isso pode parecer estranho, mas é de um realismo contundente sobre a natureza humana. Mantemos sim – pode olhar para dentro de você – uma avaliação sobre o que damos e o que recebemos, e o nosso senso de justiça grita quando a balança começa a pesar para um lado só. Gostamos de dar, de ser generosos, mas não gostamos de ser otários. É isso que Pinker chama de altruísmo recíproco, a maior qualidade de nossa espécie, nossa esperança de paz. É a troca justa. Nosso senso de justiça grita alto e na hora se a balança do açougueiro rouba no peso. E grita também, mas primeiro para dentro, se somos injustiçados por um amigo. Depois de algum tempo, se não "acertarmos as nossas contas", da maneira gentil que for, nossa amizade vai enfraquecer: "boas contas fazem bons amigos", diz o ditado. E essas contas e injustiças não se referem apenas a fatos graves. Pequenos "roubos" sutis fazem também a balança desequilibrar: "Marido, por que tem tanto tempo que não saímos com Fulano? Ele é tão legal..." "É, sim, mas você já reparou que ele só fala e nunca escuta? Não está a mínima interessado no que temos a dizer, só se interessa em nós como platéia, e isso cansa!"

Talvez seja mais fácil de entender o altruísmo recíproco se pensarmos no contrário, em egoísmo recíproco, um querendo sempre levar vantagem sobre o outro, todo mundo com as costas coladas na parede. Numa espécie assim ninguém vai ser amigo de ninguém.

O "altruísmo" fala da vontade de agradar que temos. O "recíproco" fala da vontade de ser agradado de volta, e de não ser otário. Numa espécie assim, e ainda bem que é essa a nossa espécie, pode prosperar a amizade, pode florescer o amor companheiro.

O amor companheiro respeita, não toma o outro como o "ar que a gente respira", pois as pessoas não têm consideração nenhuma pelo ar. É humilde com o outro, não dá carteirada, nem chave de galão ("eu sou coronel e você é cabo") para resolver desavenças; não crê numa instituição maior que ele para ser invocada na hora da discordância ("você é meu marido, tem que ir comigo ao batizado em Cascadura"); é capaz de voltar a um ponto de partida para descobrir onde foi que algo enguiçou; é capaz de rever as afinidades, o que liga os companheiros, o bê-á-bá da amizade: respeitar nossa constante mutação é o que mantém e dá graça ao amor. Enfim, o amor companheiro não é tênis, é frescobol, o lindo esporte inventado no Rio em que não há vencedores ou perdedores, só há cooperação pela beleza.

2. Sigmund Freud & Homer Simpson

Os Simpsons, da série de animação americana, são a família ficcional favorita daqui de casa. Rimos e aprendemos com eles. Ver um episódio é ao mesmo tempo um prazer e um exercício de reflexão informal (por favor, não pense que existe uma reunião familiar depois do programa para "discutir os conceitos"). Num deles Homer vai ao mercadinho do Apu e, em uma das suas habituais pequenas desonestidades, descobre contra a luz um bilhete de loteria premiado em 500 dólares. Ao chegar no caixa com o bilhete, fica tentado por uma barra de chocolate. Tanto a barra quanto o bilhete custavam 2,50 dólares e isto era tudo quanto Homer tinha no bolso. Depois de alguns segundos de drama e indecisão, ele compra o chocolate e o devora em seguida, deixando o bilhete de lado.

Claro que as crianças e nós rimos muito da suposta burrice do Homer. Mas, como em qualquer comédia de costumes, estávamos rindo de nós mesmos. Quem pode atirar a primeira pedra no pensamento imediatista, na falta de planejamento, no desejo do prazer agora, mesmo ao custo do desprazer depois? "Dez segundos na boca, dez anos na cintura", diz uma frase incentivadora dos regimes para emagrecer, e mesmo assim preferimos os dez segundos. Pela mesma razão sempre discordei dos castigos de longa duração como instrumento pedagógico, pois a criança já não sabe por que está sofrendo e só fica com raiva do que lhe parece uma injustiça (e é). Essa coisa de antever, de medir conseqüências de longo prazo, é uma sofisticação que poucos desenvolvem e que exige treino. Quando foi que a lembrança da ressaca passada (e daquelas promessas de nunca mais beber tanto) impediram alguém de encher a cara de novo? É raro, não?

O velho Freud fazia a distinção entre esses dois modos de pensar chamando-os de Princípio do prazer e de Princípio da realidade, fazendo a propaganda do segundo, dizendo que é melhor aprender a renunciar ao prazer imediato se ele tem como conseqüência algo que vai te fazer bater de frente com a sociedade dali a pouco.

A idéia de simplificar as coisas, dizendo que o prazer imediato é o bandido, e o planejamento e a sisuda consideração pelas conseqüências são o mocinho, não me agrada nem um pouco. Acho que estaremos jogando o bebê fora junto com a água do banho. As coisas são mais complexas, e a complexidade não é sinônimo de complicação, é sinônimo de riqueza de fatores. O cérebro humano é a coisa mais complexa que existe sobre a face da Terra, e, se quisermos usar seu potencial para chegar perto da verdade das coisas, precisamos treinar um tipo de pensamento que leve em conta as várias facetas que compõem um fato, vamos precisar deixar de lado, às vezes, o imediatismo, o julgamento fácil e sumário em favor do que nos pareça mais simpático, no caso do Homer, o chocolate.

Esse tipo de pensamento é chamado de "dialético", e eu construí um exemplo imaginário para você vê-lo funcionando. Meu personagem tem que decidir se visita ou não seus pais aos domingos, mas tem dificuldades históricas com sua mãe (a dele, bem entendido). Vamos ver o que se passa nessa cabeça:

"Ou eu amo minha mãe, ou odeio minha mãe. Ora, odiar minha mãe é uma coisa horrível, todo mundo sabe que mãe é mãe, uma pessoa sagrada a quem você deve a vida, logo, eu amo minha mãe e vou esquecer qualquer bobagem que me diga o contrário. Está decidido: vou visitar meus pais."

Que esquisito. Esse não parece o pensamento dialético que eu prometi. Também não é o do Homer: ele ligaria logo dizendo que não pode ir, pois sua casa pegou fogo. E isso todos os domingos. É porque o senso comum baixou no meu personagem e ele foi tomado pelo simplorismo e pelo julgamento sumário que são próprios do senso comum. Vamos tentar o pensamento dialético:

"Eu não amo minha mãe. Ela é chata e eu não tenho nenhuma afinidade com ela. Mas há vezes em que ela solta uma faísca de inteligência e é engraçada. Além disso sempre foi honesta e houve uma (única) vez em que ela me ajudou quando precisei. Mas eu me lembro bem de como ela me maltratou quando eu era pequeno. Ela também sempre foi hipócrita, bajuladora dos poderosos e cruel com os mais fracos. Todos no mundo eram mais importantes do que nós, e 'o que iriam pensar os vizinhos'. Se você conhece a história dela vai ver que tudo isso é compreensível. Está bem, eu compreendo, mas não gosto, como posso compreender todo o drama social do assaltante e mesmo assim enfiar-lhe uma bala nos miolos se eu tiver oportunidade de me defender. Ao mesmo tempo o custo de aturar a crítica social por abandoná-la é muito grande. E meu pai vive com ela. Não há como estar com ele sem tê-la por perto. Resultado: vou visitar meus pais. Não todos os domingos, que aí é demais. De preferência quando houver mais gente lá, que ela fica mais diluída. Desse jeito, somando os prós e os contras, dá para aturar, e às vezes até me divirto."

Pronto. Está aí o pensamento complexo chamado de dialética. Nenhuma das afirmações acima é falsa. Nenhuma elimina a outra. Elas são forças, às vezes até opostas, que acabam produzindo um resultado a cada momento. Esse resultado pode mudar com o tempo. Se aquela mãe for ficando menos venenosa com a velhice, o resultado será visitá-los mais vezes. Cada uma das afirmações pode mudar, e cada uma vai interferir no resultado final, para um lado ou para o outro. Elas se compõem num equilíbrio para dar um resultado mais verdadeiro e que levou nosso personagem mais em consideração que o jeito anterior de pensar.

Queria que você visse como o pensamento dialético funciona porque ele vai ser uma constante neste livro. Eu posso dizer uma barbaridade aqui ou ali, mas elas não vão estar sozinhas, e nunca serão "a verdade definitiva." Sempre haverá outras facetas a considerar. Desse jeito não precisamos fazer Freud e Homer guerrear. Eles estarão conversando, por mais inacreditável que isso pareça, cada um com sua contribuição.

3. Sensibilidade

Um amigo me disse: "Gosto de ópera, da Maria Callas; leio muito e choro quando leio, quando vou ao cinema, quando escuto música clássica, às vezes até em comerciais da TV. Falo francês, além do inglês. Gosto de teatro e freqüento o Municipal. Prefiro copos de cristal a copos de geléia; os impressionistas à MTV; gosto de musicais da Broadway e de champagne rosé, se for Perrier-Jouët. Ou seja, por mais que eu prefira mulher, tecnicamente... sou gay."

Creio que é relevante tratar desse assunto num livro que fala do amor companheiro entre amigos, sejam eles homens ou mulheres, casados ou não, e de qual preferência sexual for. Estou convencido de que a maior parte dos héteros não teria a coragem do meu amigo de fazer uma declaração semelhante, e portanto, como disse no prefácio, há muito hétero por aí precisando de uma ajuda para resgatar sua sensibilidade, para afinar sua casca, para desfrutar melhor de sua afetividade perdida na infância.

O que sei é que a sensibilidade não pode ser deixada como monopólio dos gays e das mulheres. É injusto, e a humanidade perde muita coisa. Está certo, não é aquilo que a savana africana selecionou para os homens. Era só caça e luta de morte. Mas me diga, você leitor que tem certeza da sua preferência pelas mulheres, quantas vezes em sua vida você se envolveu em caças e lutas de morte? Raras, não é? Digamos que você esteja na quarta década da sua vida (desculpe, mas isso significa entre os 30 e os 40) e que viva numa cidade grande. Você não gostaria de estar mais bem preparado para as sutilezas do conhecimento, do desfrute daquilo que a cultura lhe oferece, da beleza, do amor, do erotismo e da amizade do que para a caça e a luta de morte? Não gostaria de enriquecer mais sua capacidade de percepção das pessoas, do entendimento da natureza humana, do mundo ao seu redor, da simpatia, da compaixão? Essas qualidades são mais úteis para o mundo de hoje, e sobretudo são úteis para a busca da felicidade.

A busca da felicidade. Cada vez que me lembro de Thomas Jefferson incluindo-a na declaração de direitos americana, rendo-lhe uma homenagem emocionada. Mais ainda ao perceber que a seleção natural não deu a mínima para esse item. Mas... a consciência se desenvolveu como fator de sobrevivência, a fala (e muito mais tarde a escrita) como fator de transmissão de conhecimento, e aí está o *homo sapiens sapiens,* o macaco pelado que sabe que sabe, nossa espécie, constituída de indivíduos (ou, melhor dizendo, passível de ser constituída de indivíduos, pois indivíduo é algo que se constrói ou não ao longo da vida. O resto é massa) que sentem prazer, e que sentem sofrimento, e que são capazes de preferir o primeiro ao segundo. Esta é a base da busca da felicidade.

Você sabe essas bandeiras do senso comum: que o sofrimento amadurece, que forja personalidades, enaltece a alma, até provérbios latinos que meu pai adora citar, como *Cor contritus et humiliatus, ned Deus despicet* (cuja tradução macarrônica o faz rir muito: "Couro curtido e molhado nem Deus espicha", mas a tradução a sério é *Coração apertado e humilhado: nada mais agrada a Deus)*, nova demonstração do valor do sofrimento, transformando-o numa espécie de virtude. Bem, dessas idéias você está por dentro, não é? Pois sempre me revoltou essa campanha. Para mim a única coisa que se aprendia com o sofrimento era... sofrer.

No entanto, vendo no consultório grupos de pessoas que passam por muito sofrimento – os de preferência homossexual, os depressivos e os neuróticos (sei por experiência própria) –, notei que eles se tornam sim sensíveis ao que provoca a dor humana, solidários com ela em geral. São capazes de compaixão (significa, em latim, "sofrer junto"; a palavra grega correspondente é "simpatia"). Sofrem com o amor rejeitado, com a devoção ignorada, emocionam-se com a beleza que estão condenados a ver sem partilhar, com tudo o que lhes lembra a solidão, o estigma de "piores", de "diferentes", com a falta de direito que sentem em relação a seus desejos (mesmo que a razão lhes diga que estão certos em desejar diferente da maioria, é freqüente que sintam vergonha de seus desejos). Os depressivos vêem muitas vezes a limitação que a doença lhes impõe como algo errado neles, confundem-se com sua doença e se acham piores. Isso lhes dói e agrava suas depressões.

Volto a dizer: toda essa sensibilidade não está apenas voltada para eles mesmos, para a autopiedade, mas é capaz de se tornar compaixão, a qualidade de ser sensível à dor alheia, ao desejo de amenizá-la. Ora, isso é ética ativa (é a que faz o bem; a ética passiva é a que não faz o mal), aquela que se confunde com a estética, com a beleza. É uma qualidade bela, e torna seu portador mais sensível à beleza. Se o destino lhe dificultou a beleza da permuta de seus sentimentos e desejos com outros, abre-se para ele o imenso leque de beleza que existe em atividades solitárias como a literatura, a música, os filmes, as artes em geral.

Resulta que, venha do sofrimento ou não, já que acredito na sensibilidade desenvolvida durante uma educação amorosa (aposto nisso com meus filhos e vejo os resultados), a sensibilidade e, seu desdobramento necessário, a delicadeza de espírito – pois quem tem sensibilidade não vai por aí metendo os pés, sabe mover-se devagar, que é como se chega aos corações – são duas virtudes preciosas para o bom desenvolvimento do amor companheiro, por isso estão aqui comentadas logo de início.

4. Vislumbrando um universo

Sempre me impressionou o quão pouco conhecemos do outro, e quão pouco o outro nos conhece. Que parece nos vermos através de uma fresta de porta, ou às vezes menos que isso, o passar da nossa sombra. Não é por maldade ou defeito, é um tanto da natureza humana esse estar ligado na sobrevivência. Mas se nosso terreno está limpo das chateações e das urgências do sobreviver, aí então podemos desenvolver um indivíduo em nós, e entramos no terreno da vivência, e podemos cultivar o espírito em sofisticações deliciosas. A maior parte delas consiste em dar vazão às nossas curiosidades e aprender. Não é à toa que meus livros anteriores se chamaram *Aprendiz* (do desejo; de liberdade): ler livros, ver filmes, viajar, para fora e para dentro, conhecer nossos desejos, buscar realizá-los sem ter obrigações, apenas orientados pelo que nos faz sentir melhor. Neste livro estou tratando de uma das mais preciosas dessas sofisticações de construção do indivíduo: o amor companheiro. Nele temos uma oportunidade única na vida, e das mais prazerosas: a de conhecer o universo que mora no outro, e fazer com que nosso universo seja conhecido. Claro, esse universo inclui aquela pesquisa erótica que descobre cada centímetro quadrado do nosso corpo como fonte de prazer ou de ternura.

Mas o que me deu vontade de escrever este capítulo foi lembrar um hábito bonitinho dos meus filhos de me pedir, "Pai, conta história de quando você era pequeno?" E eu contava, umas cômicas, outras dolorosas, sempre tentando mostrar o contexto histórico em que elas se deram, para que eles aprendessem como histórias devem ser compreendidas: sem vilões ou heróis fáceis. Se esqueceram meu aniversário de 13 anos, ou se eu apanhei de cinto, tudo isso foi suavizado pelas razões envolvidas, e as havia. Mais sádico era eu quando contava que minha mãe, durante um tempo, criou galinhas nos fundos da casa, e teve uma chocadeira. Tomava ela a função de examinar os pintinhos mal saídos dos ovos e, se achava que eles não iam "vingar", ou se eram defeituosos, ela os atirava direto no triturador do ralo da pia. Meus filhos ficavam horrorizados em imaginar sua habitualmente doce avó como uma nazista de campo de concentração, um Dr. Mengele das aves. Depois implicavam com ela, naquela doce implicância do amor companheiro, e ver sua defesa falsamente indignada nos fazia rir, a eles, a ela e a mim. Era o mesmo caso da Ercília e do pato. Desenvolvemos uma lenda familiar de que, num jantar de cerimônia em que sempre havia um bispo ou um padre (ai, o clero católico em nossas vidas...), entrava a Ercília (copeira que está com eles há mais de 40 anos) solenemente trazendo um pato com laranja, o prato principal do dia. Mas escorregou na beira do tapete, e lá se foram ela, pato e laranjas, direto para o chão. Imperturbável, minha mãe teria dito: "Ercília, limpe isso tudo e traga o outro pato!" Dito e feito, mas quando o "segundo" pato chegou parecia ter sido atropelado por um trem. As crianças se deliciam em ver a avó negar tudo, às gargalhadas, deixando no ar a dúvida se terá sido verdade ou não, mas a franca certeza de que nós não nos levamos muito a sério.

Nossos filhos estão aprendendo as bases do amor companheiro, o afeto, o acesso fácil ao coração do outro, a desimportância das solenidades e a partilha das memórias. Se não fosse nossa memória não existiria um "eu" em nós. O terror da doença de Alzheimer é esse: deixar de existir ainda vivo e se tornar um repolho. Quando o amor companheiro é cultivado, temos a chance de receber do outro esse presente, se ele vê em nossos olhos a luz do interesse, pois contar alguma coisa pessoal para alguém que boceja e tem o olhar vago é doloroso. Ao contrário, se alguém se interessa pelo que você tem a contar, isso produz uma intensidade do sentimento de existir que é uma delícia.

É engraçado, porque toda autobiografia é uma ficção, uma "leitura" com exageros e omissões, ênfases que produzem comicidades, dramaticidades, tragédias, heroísmos, enfim, uma construção atual que mantém com a verdade histórica alguma ligação que ninguém jamais saberá qual é. Mas mesmo assim pode ser fonte de encantamento, e o artista desse encanto chama-se "memorialista". Todos nós somos memorialistas amadores, e estamos dando, no exercício do memorialismo, nosso verdadeiro universo de presente ao nosso amor companheiro.

É como o prazer da nostalgia. A nostalgia é a saudade de algo que nunca existiu: o Rio de Janeiro dos anos 20, do prefeito Pereira Passos; a felicidade dos anos 50; a união entre os irmãos; aquela paixão de infância.

Tudo isso é tão docemente reinventado quanto o prazer de ter acampado na beira da praia deserta nos anos 70, fumando maconha e comendo macarrão instantâneo, esquecido da areia e do calor infernal que entravam naquelas barracas cheirando a pum. Mas... qual é o problema? A nostalgia é uma delícia a se partilhar com seu amor companheiro, desperta nele o mesmo tipo de viagem, e o faz exercitar o mesmo prazer memorialista de fazer você rir ou se emocionar enquanto desfruta aprender sobre o outro.

5. Boa pessoa

Um dos meus amigos é uma boa pessoa. Ele nasceu assim, o que se pode fazer? Fico às vezes olhando para ele e para coisas que ele faz em estado de assombro. E de encantamento, claro. É tão comum quanto você encomendar um prato de ostras no restaurante e achar uma pérola (que o garçom não tenha tirado antes, ainda por cima). Estive pensando, qual é o ponto principal que faz dele uma boa pessoa, além da generosidade, vontade ética, gentileza natural, etc.? Concluí que é o senso de justiça.

Você já reparou que a maior parte das crianças tem isso, um senso de justiça à flor da pele, que depois vai se acanalhando?

Quando nós éramos pequenos minha mãe caiu na besteira de trazer uns tantos pintinhos que eram dados de graça nas feiras livres. Um deles sobreviveu, tendo se tornado um belo galo branco, o Felipe, que era o animal de estimação da casa. Num dia em que apareceram de surpresa para almoçar umas colegas de nossa irmã mais velha, meninas a que olhávamos como pertencendo a uma geração acima, surgiu na mesa, transformado em *coq au vin*, nosso Felipe. Nós, crianças, caímos no choro e nos recusamos a comer o amigo. Os adultos se regalaram, debochando daquelas "bobagens de criança". Ora, pense bem se não é injusta a situação toda. É claro, depois fomos nos acostumando ao regime de dois pesos, duas medidas, todos são iguais diante da justiça, só que alguns são mais iguais que outros, essas coisas que forram nossa sobrevivência de cinismo e hipocrisia.

Eu não sou uma boa pessoa, sei disso há muito tempo. Sou rancoroso, muitas vezes não esqueço nem perdôo, a habilidade verbal e a inteligência com que nasci foram postas inúmeras vezes a serviço do mal, da ironia e do sarcasmo arrasadores, em ocasiões em que, se eu fosse um homem íntegro, e não um irremediável covarde do confronto físico, teria dado uma porrada no meio dos escornos do outro em vez de dizer-lhe alguma coisa que iria lhe doer pela vida afora, como um tiro de sal grosso. O que posso dizer em minha defesa? Que algum vestígio daquele senso de justiça infantil permaneceu, em direção aos outros e em minha direção, o que, estou certo, resultou num conflito interno, no incômodo que ele me causou, na busca da psicanálise para sanar esse incômodo e, finalmente, na descoberta de que a psicanálise era um instrumento daquela justiça que buscava.

Hoje, movido por esse desejo de justiça (que recebeu um turboestímulo ao me tornar amigo desse cara boa pessoa), me sinto um advogado de defesa dos clientes. Recebo-os cumprindo pena, em pleno encarceramento de suas doenças psíquicas, verdadeiros Carandirus internos. Eles próprios chegam prisioneiros de um conflito interno parecido com aquele meu (a isso se chama "neurose"), mas desconfiados de que alguma injustiça se lhes abateu. Que faço? Peço os autos do processo. Quem sabe o crime que cometeram já não é considerado mais crime, pois que os tempos mudaram? E se suas penas prescreveram? E se o julgamento foi mal conduzido? Enfim, faço o que nenhum superego faz: busco as atenuantes e busco a verdade histórica. E me esforço para me tornar também uma boa pessoa. A crueldade verbal já diminuiu muito, ainda bem. Nesse particular, além do amigo, o consultório me ajudou, pois é um lugar onde jamais a uso.

Esse treinamento vem fazendo aumentar em mim o desejo de ética. Ética é esse sentimento com que nascemos de que causar dano injustificado a alguém não está certo. Leve você, criança, uma palmada depois deter feito uma besteira inequívoca e verá que, tudo bem, estamos quites. Mas receba alguma punição sem base para ver a raiva que dá. Pois essa raiva é o desejo de ética na criança se manifestando.

Afinal, o que é que tudo isso tem a ver com o amor companheiro? É claro que meu assombro e meu amor companheiro pelo amigo boa pessoa foram inspiradores. Mas é que descobri ao longo do tempo um encontro surpreendente: o do desejo de ética com o desejo de estética. Estética é esse sentimento com que nascemos de que algumas coisas são bonitas e outras não. Se a palavra "estética" lembrar demais lipoaspirações e clínicas dermatológicas, experimente pensar em "beleza" para que o conceito fique claro.

A ética, como a descrevi aí em cima, é apenas um fragmento: a ética passiva, a que não faz o mal. Existe seu outro lado, ativo, a ética que faz o bem. Quando assistimos ao fazer o bem, nossa vontade é dizer, "Que bonito! Que beleza!", e nos dá uma vontade de chorar, uma emoção que só mesmo as coisas realmente belas despertam. De vez em quando na televisão eles mostram campanhas institucionais, como o "Gente que faz" e o "Brasil bonito" que nada mais são que mostras de ética ativa. E nos emocionam pela beleza. Olha aí o encontro da ética com a estética! O amor companheiro é um campo de exercício maravilhoso para esse encontro. Quando o Gui (suspeito que tirei mais duas pérolas, ele e a irmã, mas não quero fazê-los prisioneiros do meu elogio), apaixonado por uma coleguinha, finalmente declarou-se a ela, tomou a providência de dizer que seus outros três amigos também eram apaixonados por ela. "Mas Gui, por que você foi dizer sobre eles três também? Afinal isso diminuía as suas chances." "Ah, pai, é que aqui em casa eu tenho o apoio de vocês para me apaixonar, e eles não têm."

Ah, meu filho... você é lindo! (Além de bonitinho, o que é outra coisa.)

6. Cultivando a casca fina

É preciso ter casca. Até as células têm casca, chamada de membrana semipermeável seletiva. A casca te protege das agressões externas, e mesmo a fina membrana celular te dá a graça de não ficar empastelado na massa. A casca grossa é preciosa nas guerras, mas quem quer viver em guerra? O mal de tudo para os terapeutas reichianos está nas couraças. Devagar com o andor que elas têm lá sua utilidade, não se pode achá-las más e ir despindo-as assim à toa. As crianças nascem de casca fina. Enquanto a casca é fina elas se encantam e se deslumbram, se emocionam e amam com facilidade. Depois fica a nostalgia do encantamento, que produziu a obra-prima de Fellini *Amarcord* (que, não por acaso, significa, no dialeto da região, "eu me recordo"). Quando as crianças entram no colégio, coitadinhas, sofrem um processo forçado de engrossamento das cascas, às vezes irreversível.

Nossa espécie tem uma característica formidável chamada *neotenia*, que significa podermos continuar com qualidades da infância pela vida afora, a curiosidade, a capacidade e o gosto de aprender, de se deslumbrar, de se encantar. Uma criança se encanta sem se preocupar com propriedades ou impropriedades; certos ou errados; bom gosto ou mau gosto; ingênuo ou esperto. Uma vez minha editora me ligou para falar de um original que eu havia entregue: "Francisco, você não acha que esse trecho aqui está meio piegas?." Respondi que sim, que achava, mas que aquilo era eu também. "Eu sou piegas às vezes!", falei.

Tantas preocupações matam o encantamento. É como assistir a um filme com o crítico ligado na cabeça ("será que essa edição favoreceu a história?"; "discordo desse plano de fotografia"; "a trilha sonora poderia ser mais enfática") sem se deixar levar pela história. Concedo que haja quem se encante com esses detalhes, mas são muito poucos, o resto é pose. E mesmo se é considerado elegante ser *blasé*, ora, dane-se essa elegância. Quero entrar no Ritz de Paris como Charles Chaplin entrava, mesmo depois de multimilionário: "Nunca deixei de me deslumbrar, de olhar que nem um caipira para todos os detalhes."

Uma canção americana (*Young at heart* – Jovem de coração, de Carolyn Leigh & Johnny Richards; 1954) faz um elogio dessa característica, que muita gente acha boba, que é mania e a moda de elogiar o que é jovem, desprezando a maturidade, contrariando o conselho que Nelson Rodrigues deu aos jovens ("Envelheçam!"). Mas não é. Diz respeito à manutenção da neotenia, da infância sem infantilidade, da casca fina usada nas horas certas. Quando minha mãe fez 85 anos eu botei a música para tocar na hora do bolo,

Frank Sinatra cantando, e ela adorou, porque se encaixa bem à sua personalidade. Olhe só que bonitinha:

Fairy tales can come true,	Contos de fada podem se tornar reais
It can happen to you	E acontecer com você
If you're young at heart	Se você é jovem de coração.
For it's hard, you will find,	Pois é difícil, você vai ver,
To be narrow of mind	Ter uma cabeça estreita
If you're young at heart	Se você é jovem de coração
You can go to extremes	Você pode radicalizar
With impossible schemes	Com planos impossíveis
You can laugh when your dreams	Pode rir se seus sonhos
Fall apart at the seams	Se descosturarem todos
And life gets more exciting	E a vida fica mais legal
With each passing day	A cada dia que passa
And love is either	E o amor está presente
In your heart or on its way	Ou a caminho do seu coração
Don't you know that it's worth	Você não sabe que vale
Every treasure on Earth	Qualquer tesouro no mundo
To be young at heart	Ser jovem de coração?
For as rich as you are	Por mais rico que você seja
It's much better by far	É de longe melhor
To be young at heart	Ser jovem de coração
And if you should survive	E se você conseguir chegar
To 105	até os 105 anos,
Look at all you'll derive	Olhe para tudo o que você tira
Out of being alive	Do fato de estar vivo,
Then here is the best part	E aqui vem a melhor parte
You have a head start	Você leva uma enorme vantagem
If you are among	Se estiver entre
The very young at heart.	Os muito jovens de coração.

A nostalgia da infância é o desejo da casca fina, o descanso das defesas, a facilidade do encantamento. Você vê isso retratado no *baby-talk* dos enamorados, eles brincando de criancinhas. Uma vez ganhei um *button*. Ele dizia: "*It's never too late to have a happy childhood*" (Nunca é tarde demais para se ter uma infância feliz). Acredito um bocado nele, pois estou convencido de que o melhor ambiente para se visitar a infância e torná-la feliz é o amor companheiro: o acolhimento das nossas fragilidades, a estufa que, com sua proteção, permite desabrochar nossas belezas mais vulneráveis, aquilo que não mostramos para mais ninguém, por medo. Mas medo de quê, afinal? Medo da inveja. Da inveja dos infelizes que carregam cascas pesadas e passaram a achar isso certo.

7. Fazer amigos

É uma coisa esquisita, mas fica horrivelmente mais difícil fazer amigos depois da adolescência. Bem, vamos começar pela definição de fazer amigos. Tem a ver, é claro, com o desenvolvimento do amor companheiro. Fazer amigos não é fazer conhecidos, fique claro. É quando você encontra alguém que lhe desperta interesse, uma das faces do desejo. Esse desejo não é sexual, pelo menos não de início. É um desejo que se traduz em animação, um vibrar de alma que quer dizer encontro, sintonia. Um conforto, um bem-estar, uma vontade de continuar junto, uma graça que você acha no outro, uma surpresa no que ele lhe diz que consiste no deleite daquilo que se parece com o que você mesmo pensa, mas com um viés diferente, que acrescenta e embeleza.

De repente você percebe que o outro sente o mesmo acréscimo que você sentiu, e ele sorri de prazer, e você sorri para ele com um prazer semelhante, e a confiança começa a aumentar. Nessa hora a ilusão extraordinária de que não estamos sós instaura uma sensação de bem-estar, e a mãe natureza, que não tinha imaginado essa beleza em seus planos egoístas, toma o susto da independência de suas criaturas: elas inventaram a felicidade.

Fazer amigo é achar graça em alguém que acha graça em você, e isso é uma bênção preciosa. É poder ser autêntico, tirar a máscara sem temer crítica, porque você sabe que ela não vem. É cultivar o acolhimento e a generosidade, a arte de agradar, o achar num passeio aquela bobagem que, só você sabe, vai fazer abrir um sorriso de prazer no rosto do outro. Porque ele mora dentro de você, e você dentro dele, aquela troca rápida de olhar diante de uma situação dispensa qualquer outro comentário e é capaz de fazer vocês rirem às gargalhadas, pois um mundo de conteúdos está naquele simples gesto, e esse mundo a vocês pertence. É antegozar o almoço, o bate-papo, o encontro com dias de antecedência, sabendo que o melhor da festa não é só esperar por ela, mas vivê-la e relembrá-la.

Fazer amigo é ter alguém com quem chorar, ou no ombro de quem chorar (nos casos em que se chora sozinho) porque a vida tem seus momentos cruéis e porque o amigo ama a sua casca fina, dessas que deixam vazar lágrimas, e porque ele sabe que você ama a casca fina dele. E graças aos céus que nós não somos americanos e podemos sentir pena de nós mesmos de vez em quando (os americanos têm a autopiedade – *self-pity* – na conta de um dos sentimentos mais desprezíveis), e é disso que o choro é feito. Se você tem um amigo, ele sentirá compaixão, que significa sofrer junto com você, e é bem diferente de sentir pena. A pena é um desprezo e uma raiva que não ousam dizer seu nome: "Sabe do que mais? Eu não tenho raiva daquela infeliz, eu tenho é pena dela." Amigos não sabem o que é pena um do outro. Sabem o que é solidariedade, ajuda, busca de soluções, ou simples escuta interessada que produz consolo.

É claro, você percebe que eu estou fazendo a descrição da amizade mais sincera e profunda, a demanda do Santo Graal das amizades, aquele cadinho onde cabem dois ou três durante a sua vida toda, se você for bem sortudo. Não importa achá-los. Como na lenda medieval, o cálice da última ceia de Cristo também nunca foi achado, era sua busca que importava. Ter o espírito belo e elevado de um cavaleiro andante para estar digno de procurar o Graal era um ganho em si, a viagem era o destino, a jornada continha sua própria felicidade.

Quando Polônio aconselha seu filho Laertes (ato I; cena III do *Hamlet*, de Shakespeare), que vai ao mundo numa viagem, três de seus avisos dizem respeito ao amor companheiro, dois sublimes e o outro cínico: "O amigo comprovado, prende-o firme no coração com vínculos de ferro. Não emprestes nem peças emprestado, que emprestar é perder dinheiro e amigo (...). Mas, sobretudo, sê a ti próprio fiel." É claro que nem todos os amigos serão do tipo "comprovado", que lá no Sul, dizem, precisa passar por três testes: "Já foi seu chefe? Já foi seu sócio? Já morou com você?" Portanto é melhor ouvir Polônio, principalmente na questão do dinheiro. Afinal nossa aldeia amorosa não pode ser constituída só dessa távola redonda onde não cabem mais que pouquíssimos, e há muita gente boa de quem gostamos e que gosta de nós, e que podemos ver de raro em raro que o amor companheiro não esmorece. Com esses também é possível ser a nós mesmos fiéis.

A condição básica de fazer amigos é poder estar sozinho com a outra pessoa. Por isso, leitor, fazíamos amigos na infância e na adolescência, por isso é complicado fazê-los depois. As mulheres entre elas não sofrem desse problema, ainda que elas não andem mais de mãos dadas na rua como andavam na minha infância, mas se você é homem e quer estar sozinho com alguém, não importa de que sexo, em local privado onde possa abrir sua alma, infelizmente o sexo vai importar, na forma de suspeita de erotização.

Isso remete a um fato muito triste e muito comum nas histórias de consultório: meninos, rapazes e homens adultos que descobriram um amigão a quem amavam e por quem eram amados, a quem chamavam por esse título tão bonito, "meu melhor amigo", até que o crescente afeto expressado produziu medo. Medo do homoerotismo, de desconfiar de sua própria masculinidade, ou da do outro, ou do que outras pessoas podiam pensar, ou medo da patrulha dos invejosos ou enciumados. E a partir daí se afastaram, guardando a dor de terem diminuído sua alma e de endurecerem seu coração pelo resto da vida. Engrossaram sua casca, mataram um pedaço de sua sensibilidade e delicadeza em favor do senso comum de uma masculinidade uniforme que todos os homens supostamente deveriam ter.

Mas esse medo tem base na realidade? Uma amizade forte assim pode "transformar" um homem hétero num homossexual? Essa é a pergunta central do medo, apesar de que ela não surge assim tão clara, mas na forma de mal-estar, de curto-circuito cerebral. A resposta é simples: não. Não é possível operar essa "conversão", tanto quanto não é possível converter um homem com preferência por outros homens em um hétero, a despeito do que possam pregar as igrejas evangélicas.

E a propósito, e de uma vez por todas: homossexualidade NÃO É OPÇÃO! Imagine se um homem, *podendo escolher*, resolve que vai ser discriminado, maltratado, rejeitado, que vai ter que passar grande parte de sua vida sentindo vergonha de seus desejos? "Oba, eu sou cheio de tesão por mulher desde criança, *mas resolvi* ser gay." Ora, tenha a santa paciência...

Baseado em que eu posso afirmar essas coisas? Bem, vamos primeiro definir o que é ser homossexual e heterossexual quanto aos homens, o que é bem mais fácil do que a mesma distinção quanto às mulheres. O divisor de águas está no tesão VISUAL. O tesão visual é o primeiro e mais forte entre os homens, não importa se homos ou héteros. A diferença se estabelece pelo objeto do tesão. Se um homem se sente visualmente atraído pelas formas do corpo de mulheres, se aquele magnetismo acende alguma coisa em sua cabeça ou em seus genitais quando vê mulheres atraentes, ou mesmo se seu olhar está constantemente avaliando mulheres como um radar e na varredura do campo ele se focaliza nos peitos, bundas, coxas e pernas de mulheres, passando batido pelos homens, não tem jeito: ele nasceu com preferência heterossexual, isso é uma informação genética que veio com ele (todos os elementos que a ciência pôde levantar até agora indicam isso), não é resultado de ele ter sido criado ganhando várias bolas de futebol, cercado de machões que falam sacanagem o dia inteiro, e não há nada no mundo que possa mudar isso. Um homem com a informação genética para a preferência hétero pode ser criado por tias, sua mãe pode vesti-lo de menina, decorar seu quarto com babados cor-de-rosa e dar-lhe todas as bonecas do mundo e nada vai alterar a direção de seu olhar quando chegar à adolescência. Ele vai se sentir atraído por meninas.

O mesmo vale para os homens que nasceram com preferência homossexual. Seu radar busca formas masculinas e passa batido pelas femininas. A visão de peitorais, coxas, ombros, bundas e volumes genitais age como ímã para seus olhos, que em seguida procuram os olhos do outro para ver se há cumplicidade, algo vital antes de um homem assim tentar qualquer coisa, já que ele tem que lidar com a homofobia (medo e ódio a homossexuais). Não há nada no mundo que possa mudar isso. Todos os meus clientes com preferência homo que se casaram com mulheres, e estão muito felizes assim, continuam (e sabem que continuarão) com o mesmo ímã no olhar.

"Ah, mas se um homem desses que você diz que é hétero começar a abraçar muito seu amigão, se eles começam a se fazer carinho, a se beijar, a se encostar, não vai pintar tesão?" Vai sim, de fato. Às vezes. A maioria desenvolve uma indiferença sexual parecida com a que ocorre entre irmãos (apesar de que entre irmãos homens a erotização também surge, existe grande número de iniciações sexuais que se dão em casa). Quando acontece entre amigos, é como se fosse num casal que já está casado há 30 anos, quando o tesão visual já foi embora há muito tempo, mas, se há amor companheiro e se há chamego, o carinho que se fazem despertará esse outro tipo de tesão, que vem do acolhimento, do sentimento de parceria, da vontade de fazer o outro feliz, enfim, da boa amizade, se o expressar da amizade como erotização for aceitável por ambos. O que já ouvi de clientes héteros (conferidos pelo critério do tesão visual) nessa situação foi o seguinte:

1."Eu sei que poderia bem fazer amor com ele, mas ia complicar minha cabeça, e provavelmente a dele também, de modo que a gente aceita essa limitação, mas imagine só se por causa disso eu vou deixar de ser amigo dele, ou ele de mim?!"

2. "Ah, a gente transava sim. No começo era uma novidade e dava um tesão de bicho, animal, quanto mais que era nos anos 70 e tudo era 'contra o sistema'. Depois nosso sexo foi ficando mais carinhoso, e isso só fazia com que nós nos amássemos mais. Foi a vida que nos afastou e não qualquer ressaca moral. Guardo ótimas lembranças, mas era um encontro muito especial. Não acredito que dê para se repetir."

"Então existem os bissexuais?" Não. A comunidade científica está convencida (e minha experiência de consultório não refuta) de que mesmo aqueles que são capazes de se sentir atraídos e transar com gosto com homens ou mulheres continuarão a ter preferência no tesão visual, sendo assim predominantemente homos ou héteros. Kinsey, em seu famoso relatório de 1948, estabeleceu uma gradação de 1 a 6, sendo o número 1 o hétero que não tem traços de gosto ou capacidade de se excitar com outro homem, e o 6 o homo que não tem traços de gosto ou capacidade de se excitar com uma mulher. Não há o meio perfeito (que seria o bissexual). O 2 e o 3 são héteros com traços crescentes de gosto homo. O 4 e o 5 são homos com traços decrescentes de gosto hétero.

O fato de cá e lá um homem achar outro homem atraente ou ter erotismo anal (prazer com a estimulação do ânus), por exemplo, muitas vezes induz uma fantasia homoerótica, produzindo uma confusão mental dos diabos e a idéia que é capaz de se tornar o mais comum dos pensamentos obsessivos (neurose obsessiva, ou, como querem os psiquiatras, TOC, Transtorno Obsessivo Compulsivo) entre os homens: "Será que no fundo eu sou gay?" Esse pensamento é típico de nossa maneira absolutista de pensar ("ou eu sou 100% macho, ou 100% gay"). Se a pessoa se treinou no pensamento dialético, ela dirá que tem vetores, componentes do desejo homoerótico, mas que o resultado da combinação de seus componentes é hétero.

O terceiro caso é aquele mais comum, em que, assustado com o próprio tesão, um dos amigos tenta negar dizendo para si mesmo que o outro deve ser gay e que está tentando seduzi-lo, tenta recusar qualquer participação sua no evento e embarca no mesmo senso comum em que o escritor e cartunista Ziraldo embarcou ao escrever seu *Tratado geral das bichas*, a idéia de que um homo se aproxima de um hétero como um cafajeste se aproxima de uma virgem: com a única finalidade criminosa de fazê-la "perder a honra" e depois abandoná-la à vergonha. No tal livro Ziraldo dá todas as dicas de como um hétero, na situação de vítima, pode desmascarar os disfarces do predador e defender sua honra.

E as mulheres? Essas estão com tudo em termos de facilidade de fazer amigas, de ter melhores amigas, de viajar juntas sem que ninguém as aporrinhe, de irem juntas ao banheiro para trocar uma idéia ou uma informação e todos acharão a coisa mais natural do mundo. Imagine a seguinte cena: durante um almoço de dez pessoas à mesma mesa de um restaurante, um homem se levanta e diz para seu amigo ao lado: "Rodolfo, eu vou ao banheiro, vem comigo?" O efeito cômico se perde se você trocar o sexo dos personagens da cena.

E o erotismo entre elas? É outra facilidade. Elas também variam de 1 a 6, mas, para começar, a quantidade de mulheres com preferência homoerótica, 6-5-4, é cerca da metade da quantidade de homens (de 5 a 6% da população de homens; de 2,5 a 3% da população de mulheres *em todas as culturas e em todos os tempos pesquisados,* o que reforça o argumento genético). Outra facilidade é que elas transitam pelos números vizinhos muito comumente. Podem ter crescido no 2 e migrar para o 4 por um período "porque estão de saco cheio dos homens", e depois voltar ao velho 2. A única desvantagem comparativa da amizade das mulheres é que, quando o assunto é homem, elas podem ser mais competitivas e achar que no amor e na guerra vale tudo. Não conheci nenhum homem (cliente ou não) que transava com a mulher de seu melhor amigo enquanto continuava a amizade como se nada houvesse. Deve haver casos assim, mas raros. Não posso dizer o mesmo das mulheres. É verdade que os homens têm mais facilidade de encontrar mulheres disponíveis que não sejam assim tão próximas (além das abençoadas prostitutas), e que as mulheres ficam mais restritas a amar quem está perto. Afinal, nas palavras imortais do comediante paulista-italiano dos anos 20, Julio Bananó: *"Gesú dice: 'ama o próspero!'"*

Apesar de fugir completamente do assunto, não resisto a reproduzir aqui uma quadrinha em italiano macarrônico do mesmo Bananó, de um romantismo delicado:

"La vê a luna surgino
Ridonda como una bola.
Si tu num casá cumigo
Ti bato co'a casserola."

"E amizade entre homem e mulher? Isso existe?" Claro que sim, e o melhor lugar para isso é dentro do casamento. Está bem,

OK, eu sei que a pergunta não era essa, mas queria reafirmar minha posição. Fora do casamento ela existe, sim, mas é rara. "Sem envolver sexo?" Aí é mais rara, mas ainda assim existe, sobretudo quando o homem é do grupo 6. Mas por que diabos não envolveria sexo? Quando estive solteiro pela primeira vez na minha vida (entre os meus dois casamentos, que antes do primeiro eu não era solteiro, era imbecil) foram quatro anos querendo casar, mas já sabendo rapidamente que aquelas minhas amizades coloridas (envolvendo sexo) continuariam sendo ótimas amigas, mas desastres como esposa. Cometi a indelicadeza de dizer isso a uma delas, ela disse que eu fosse plantar batatas, que também jamais se casaria comigo, mas me arrependo. Isso não se diz. Dessa época deduzi duas coisas: ou ambos não se atraem nem um pouco, ou vai haver sofrimento por rejeição; e, se a amizade for colorida, que a freqüência de encontros seja baixa, sob o risco de despertar esperanças casamenteiras.

Mas então qual é a saída para que os homens façam amigos? É claro que almoçar fora ajuda, mas não sei o que sugerir. Espero que a criatividade despertada pela vontade de fazer um bom amigo invente seu caminho. Há quem pratique esportes, para mim fora de cogitação. Um desses caminhos é a escrita. Outro dia fui procurado pelo Padre Djalma, da pequena igreja de São Conrado. Ele estava fazendo um trabalho sobre a correspondência do Alceu Amoroso Lima e me mostrou uma carta do Carlos Drummond de Andrade para o Alceu. Uma carta impressionante pelo grau de sinceridade e confiança ali colocado. O padre queria saber o que havia nas cartas para fazer as pessoas se abrirem assim. Falei da dificuldade de se conversar a dois, de como a presença de mais alguém muda o registro da conversa para a superficialidade, e que o coração aberto requer proteção e cuidados. Esses são a privacidade e a confiança, coisas que a escrita pode conter. Não que ela seja a substituta perfeita da convivência pessoal, mas ela tem o dom da comunicação com privacidade, essencial para fazer amigos. Ela guarda a qualidade do divã do analista: você pode dizer o que quer sem ter de olhar nos olhos do outro. Com a vantagem do tempo de reflexão, para que quem escreve conclua que é aquilo mesmo que deseja dizer, e para quem lê que o possa fazê-lo em seu tempo, voltar aos trechos mais delicados, desfrutar daquilo que permanece ali, seu.

Carta ou e-mail? É verdade que gosto bem de um papel encorpado, de uma caneta-tinteiro e de uma grafia bela, mas o computador com um bom editor de texto é imbatível para se escrever uma carta. Com que facilidade se deleta uma bobagem escrita já no fim do texto, quando em outros tempos teríamos que começar tudo de novo, ou pior, mandar a bobagem assim mesmo. Agora, se houver um mínimo de privacidade, o e-mail é ótimo, pela praticidade. Até eu mesmo que tenho selo em casa, papel de carta bonito e aqueles gostos antigos todos, mando muito mais e-mails que escrevo cartas. Além do quê, o e-mail reviveu o antigo hábito do bilhete, quando se pode aquecer o coração de alguém com poucas palavras.

Quando você quer ser amigo de alguém precisa saber que é de seu direito pensar mal. O amigo que você quer é um ser humano, não é um anjo. Nem você é anjo. Supor que não haverá ganância, nem trapaça, nem guerra, nem discriminação, nem ambição, nem vontade de trair é uma ingenuidade que vai atrapalhar a construção do amor companheiro. É preciso confiar desconfiando. Curiosamente isso se aplica tanto ao outro quanto a nós mesmos. Esta é uma prática que desenvolve humildade e tolerância: nós também somos uma peste potencial.

Mas aí vem a dialética. Os vetores da vontade de afeto, de carinho, de acolhimento, de compreensão, o desejo de confiança e de entrega, de poder descansar no outro tudo isso conversa com nossos vetores, digamos, menos nobres, para que eles não prevaleçam, mesmo continuando a existir. Não é como na sociedade em geral. Nela, o medo da punição é muito mais importante para conter nossa pestilência. É claro que desejamos estimular a gentileza e a civilidade no trato social. Basta ver como o metrô é um alvo raro de vandalismo: ele trata bem seu usuário, que acaba devolvendo esse respeito.

No amor companheiro a punição pode estar longe, já que o desejo de agradar está tão perto. E você vê como um ato individual se estende às práticas sociais: quem está abastecido de ternura dificilmente vai sair por aí dando fechadas e xingando no trânsito.

Mas quando se faz um amigo essas preocupações costumam estar longe. A construção do amor companheiro costuma despertar em nós (e no outro) o que temos de melhor.

8. Aquecendo o coração

A arte de aquecer o coração é um lindo desdobramento do amor companheiro. São pequenos ou grandes gestos que mostram o quanto você se importa com o outro, ou mais precisamente o momento em que o outro vê que ele existe dentro de você, e num bom lugar. Quando nossos filhos são bebês a gente faz de tudo por eles e não recebe quase nada em troca. É altruísmo sem volta. Mas, para nos dar um refresco, a mãe natureza faz com que eles sorriam quando nos reconhecem. Naquele momento sabemos que estamos lá, dentro deles. Naquele momento nosso coração aquece tanto que se derrete todo. E pelo resto da vida o gesto de aquecer o coração será uma coisa meio de criança. É difícil imaginar um homem "sério", de terno e pasta executiva, aquecendo o coração de alguém, donde concluo que a boa receita de aquecer coração inclui uma dose de ingenuidade ao pôr de lado nossas habituais defesas e seriedades, uma pitadinha da disposição de pagar mico e fartas colheradas de generosidade.

O coração se aquece quando você se sente visto, percebido, reconhecido como bom. A arte requer treino, mas não é desses como malhação que você faz por disciplina. O próprio treino é gostoso, pois a cada vez que é bem-sucedido aquece o coração da gente de volta. Aquecer o coração poderia ser descrito como o passo adiante do ato gentil. É produzir encantamento de maneira intencional, e o encantamento é o principal enriquecedor do espírito.

Um dia meu amigo Odone me viu triste, e tomou uma providência: "Você já foi ao Jockey? Já apostou em cavalo?" Não, nunca tinha ido, e qualquer espécie de jogo a dinheiro (aí incluída a bolsa de valores) é vista como uma maldição na casa dos meus pais, de modo que aquilo era uma novidade para mim. Pois lá fomos nós. O fato é que achei tudo uma beleza, apostei pela primeira vez e última, perdi dez dinheiros (sabe Deus como se chamava a moeda naquele tempo) num cavalo que me pareceu especialmente bonito na apresentação. Afinal eu me diverti para valer e guardo com carinho na memória o gesto amigo que tirou meu coração da geladeira. Não tinha sido a primeira vez. Conheci o Odone porque ele veio dar plantão na minha equipe de pronto-socorro no Hospital Miguel Couto. Quando ele soube que eu gostava de música clássica mas não conhecia o concerto em fá do Gershwin, apareceu no plantão seguinte com uma vitrola (olhe só o nome da coisa, para ter idéia de quanto tempo faz isso) portátil e o LP para me apresentar a música. A sala dos médicos do hospital nunca pareceu tão agradável.

Um dia desses descobrimos que o Gui andava faltando ao curso de inglês. Nosso primeiro impulso foi brigar com ele. Mas de repente me bateu uma luz nas idéias e lhe disse: "Meu filho, você costuma ser tão responsável com os estudos que, se há alguma coisa errada nessa história, deve ser com o curso, e não com você." Ele nos disse que sim, que não tem o menor prazer de aprender uma língua estrangeira, que entende a necessidade de aprender inglês mas que o tal curso estava sendo muito ruim para ele. Sugeri que ele experimentasse o professor particular que ensina os filhos de um amigo. Ele veio nos abraçar e beijar dizendo o quanto nos amava. Seu coração ficou quentinho. Imagine o nosso! A propósito, ele está adorando aprender com o professor.

Dar presentes é um capítulo à parte nesse ofício de aquecer corações. É especialmente arriscado porque fica evidente quando alguém não entende nada de você, não tem você dentro de si, pelo menos em um bom lugar, quando está fazendo algo burocrático ou "educado". Mas também, quando a pessoa acerta, é lindo. Meu cunhado Flávio, que é um precioso amor companheiro da minha vida, me deu o presente mais "na mosca" que ganhei. Os cinco volumes do *Dicionário Etimológico da Língua Portuguesa*, de José Pedro Machado, estão aqui na minha frente, que eles moram na minha mesa de trabalho, e não nas estantes. São caros, queridos, consultados, difíceis de encontrar (publicação de Lisboa), o melhor dicionário etimológico da nossa língua (já encontrei outros, mas não valem nada; para o simpatizante não-fanático por etimologia aconselho o Aurélio e o Houaiss). Quando eu fumava, há mais de dez anos, o Cláudio me deu um isqueiro Zippo, um ícone de gente grande da minha infância, com pedrinhas (as iscas), fluido e tudo. Maria Elisa achou a poltrona de trabalho da minha vida: linda, italiana de couro cor de tomate, uma extravagância que, ela concluiu, o meu aniversário de 50 anos merecia. E pagou com o dinheiro dela! Eu já comentei para vocês o quanto aquece o coração de um marido ter uma mulher que contribui com dinheiro em casa?

Essa história de presentes me lembrou minha tia Carmen. Um dos primeiros capítulos deste livro fala de sensibilidade. Se eu fosse escrever um sobre delicadeza, seu título seria "Tia Carmen". Sabe os ícones na tela do computador, você clica neles e aparece um enorme programa? Pois tia Carmen é o ícone da delicadeza na tela da minha vida. Essa mocinha charmosa de mãos de seda está com 97 anos no momento em que escrevo, um pouco mais moça que meu pai (que está ansioso para completar seu centenário em 2005). Uma artista na pintura em porcelana (o que gosto mais são seus retratos em miniatura), foi capaz de se lembrar de coisas que me fascinavam na casa dela, e nos últimos vinte anos me deu algumas: um tinteiro de molhar pena, uma campainha que, por ter o som igual ao do telefone, eu adorava brincar de tocar, e uma coisa esquisita do século XIX: um molhador inglês de fita adesiva (antes do durex as fitas adesivas tinham que ter sua goma umedecida como um selo para que funcionassem). Ela adorava música e leitura, e em sua biblioteca descobri, entre décadas de *National Geographic Magazine*, coisas deliciosas. Seu apartamento era perto do colégio Santo Inácio, e tornou-se meu abrigo nas noites de terça-feira dos anos 1958 e 59, quando o "cinema paradiso" do colégio funcionava. Voltava a pé, 11h da noite pela rua Dona Mariana, sem a menor preocupação, mesmo depois de ter visto uma *Janela indiscreta* do Hitchcock, sabendo que ela teria mandado guardar um jantar quentinho para quando eu chegasse. Essas memórias me aquecem o coração e me encantam até hoje.

Sei que louvor em boca própria é vitupério ("ato vergonhoso", segundo o Aurélio), mas quando achei que o Natal havia perdido a graça e quis que meus filhos tivessem com ele o mesmo encantamento que eu tive, investi em duas frentes com esse objetivo: arranjei uma fantasia de Papai Noel muito boa (naquele tempo eu precisava de enchimentos para desempenhar o papel), e a minha chegada triunfal junto com uma performance caprichada deixava as crianças da família (o Natal é na casa dos meus pais, o que quer dizer uma festa de mais de 40 pessoas) em alvoroço total. E produzi serões musicais durante dez anos com uma cuidadosa seleção de belezas universais para encerrar a noite. Esses eram meus favoritos, e tenho certeza de que aqueci muitos corações com eles, bastava-me ver as lágrimas escorrendo, meus melhores aplausos.

No primeiro deles homenageei tia Carmen, pondo o Pavarotti para cantar uma ária da ópera *Carmen* de Bizet, *"la fleur que tu m'avais jetée"*, em que D. José tenta comover o coração enciumado de Carmen:

A flor que você me deu,	La fleur que tu m'avais jetée
Lá na prisão comigo ficou.	Dans ma prison m'était restée
Murcha e seca, aquela flor	Flétrie e sêche, cette fleur
Guardava sempre seu doce odor.	Gardait toujours sa douce odeur
E durante horas e horas,	Et pendant des heures entières
Sobre meus olhos,	Sur mes yeux
Cerrando minhas pálpebras,	Fermant mes paupières
De seu perfume eu me embriagava,	De cette odeur je m'enivrais
E dentro à noite eu te revia.	Et dans la nuit je te voyais
E eu ficava te maldizendo,	Et je me prenais à te maudire
A te detestar, me dizendo:	À te détester, à me dire:
Por que foi que o destino	Pourquoi faut'il que le destin
pôs você no meu caminho?	L'ait mise là, sur mon chemin?
Então, eu me acusava de blasfêmia,	Puis, je m'accusais de blasphême
E só sentia em mim mesmo	Et je ne sentais en moi-même
Um só desejo, uma esperança:	Qu'un seul désir, qu'un seul espoir
Te rever, ó Carmen, sim, te rever!	Te revoir, ô Carmen, oui, te revoir
Pois bastava você me aparecer	Car tu n'avais eu qu'apparaître
Ou só lançar o teu olhar em mim	Ou qu' a jeter un regard sur moi
Para se apoderar de mim,	Pour t'emparer de tout mon être
Ó minha Carmen...	Ô ma Carmen...
E eu me tornava uma coisa tua!	Et j'etais une chose a toi!
Carmen, te amo!	Carmen, je t'aime!

Dois dias depois do Natal chegava lá em casa uma rosa com um bilhete para mim:

> *"Ao meu D. José, subvertendo a obra de Bizet, declaro todo o meu amor.*
>
> *Carmen."*

Essa é minha Camê, querido amor companheiro, mestra da arte de aquecer corações.

9. A função da branda implicância

Debochar de si mesmo e implicar um pouco, fazendo graça do seu amor companheiro (de maneira a que ele ria com você e não que você ria dele), é uma deliciosa reafirmação de nossa desimportância no mundo, enquanto está implícito nessa brincadeira o quanto um é importante para o outro. Carlos Sussekind e eu escrevemos um livro de ficção, *O autor mente muito*, em que os personagens-narradores se chamavam Francisco Daudt e Carlos Sussekind. O escrever a quatro mãos foi um divertimento constante de branda sacanagem mútua. No final do livro o personagem de Carlos aparece em minha casa para me salvar "de um destino pior que a morte: eu começava a me levar a sério". Era vital uma intervenção que debochasse de mim mesmo definitivamente. É quando ele me propõe que escrevamos novo livro juntos. O título? *A psicanalista ninfomaníaca.*

O amor companheiro tem espaço para a admiração mútua, e para que um reconheça e reafirme as virtudes do outro. Nem sei se devia dizer "tem espaço para". Acho que é mais, que precisa disso, senão fica parecendo aquelas pessoas que só apontam defeitos. Eu subia a serra de Petrópolis numa noite fresquinha, janelas do carro abertas deixando entrar um perfume de flores, mato e terra molhada. Comentei isso. A mulher de um amigo, alemã, estranhou: "Se o cheiro está bom, eu acho natural, só falo se estiver ruim." Que pena para ela, que é boa gente. Bem, às vezes se pode mudar isso, vamos comentar essa vontade de aperfeiçoar o amor companheiro num capítulo à parte. Mas o que quero dizer aqui é o que não cabe no amor companheiro: a tietagem permanente, a bajulação aberta ou desníveis muito grandes de "importância". Lembro de uma história dos Beatles que, ao voltarem a Liverpool depois de famosos, encontraram amigos de infância. Foi um constrangimento só. Já havia se perdido o conforto de sentir o outro próximo, imagino que de maneira irrecuperável.

Numa outra cena estava com dois amigos cerca de 20 anos mais moços que eu (quando você tem 55 anos isso não é grande problema, ainda bem) explicando as diferenças entre o estilo barroco e o rococó. Diz um deles para o outro: "É tão bom ver como o Francisco se esforça para nos transformar em pessoas cultas, não é?" Caímos nós três na risada. Num só gesto ele conseguiu reduzir minha importância (pela ironia) e me acolher como um igual diferente, um amigo.

10. Chamego

O chamego dá prazer
O chamego faz sofrer
O chamego às vezes dói, às vezes não,
O chamego às vezes rói o coração
Todo mundo quer saber o que é o chamego,
Ninguém sabe se ele é branco, se é mulato ou negro (bis)

Quem não sabe o que é chamego pede pra vovó
Que já fez mais de setenta e ainda quer xodó
E reclama noite e dia por viver tão só (bis)
Ai que xodó, que chamego

Que chorinho bom
Toca mais um bocadinho
Sem sair do tom,
Ai cumpade chegadinho que chamego bom
Que chamego bom
Que chamego bom.

(Luiz Gonzaga e Miguel de Lima)

O chamego é o carinho não-sexual, gratuito, sem hora para usar e sem contra-indicações. É melhor e não faz mal, um tremendo alimento do amor companheiro, ainda bem que nossa sociedade é bem chameguenta, com destaques para o litoral baiano, tendo o Nordeste a glória de inventar o "me dê um chêro" como parte de chamego, e cheira-se o cangote, ou o pescoço, abaixo da orelha.

O Gui entra no meu quarto e diz: "Chamego?" Digo que sim e ele vem ficar abraçadinho comigo na cama, me dá um monte de beijinhos, faz boroto (uma coisa que parece beijo, mas é soprado, fazendo barulho) na minha barriga e diz que ela é fofa e linda (quem mais no mundo achará isso, meu Deus). Patrícia, com suas longas unhas, é especialista em coçar costas (você não sabe, mas suas costas precisam ser coçadas, a coceira está lá esperando, basta alguém começar). "Um pouco mais para cima, para a esquerda, agora! Ahhhh..." E sua massagem nos pés? Às vezes ela entra no quarto e faço uma coerção emocional pelo elogio: "Olha só que amor de filhinha, veio fazer massagem nos pés de seu velho pai!" Ela ri da minha tentativa descarada. É, mas às vezes cola.

Eu sei é que o chamego funciona como peça fundamental do amor companheiro. E é mesmo ancestral: tanto a nossa espécie como vários outros mamíferos estabelecem vínculos sociais através da catação de piolhos uns nos outros. Você já ouviu falar de cafuné? Pois cafuné é piolho. Antigamente não se dizia "fazer cafuné" e sim "catar cafuné", e as mucamas ficavam nesse afazer até que as sinhás adormecessem. Conversar fazendo chamego traz a conversa para um nível de autenticidade e intimidade que não tem igual. Mais uma vez, ainda bem que nossa sociedade é chameguenta. Se eu estivesse nos Estados Unidos, não ia faltar um psicólogo de escola para dizer que eu estava abusando sexualmente de meus filhos, quando o que acontece é que estou passando para eles uma naturalidade com o carinho entre amores companheiros, tão importante quanto saber nadar ou andar de bicicleta. Pensando bem... mais importante.

11. O agrado sexual

Como o amor companheiro não tem obrigações, nem é baseado em sexo, ele pode investir no agrado erótico. É um investimento-chave para os casais que perderam o tesão visual (que, segundo as pesquisas psicológicas, se extingue em torno de três anos) ou a graça da novidade. Em alguns casais, um deles não é muito fã do esporte em si (às vezes os dois), e assim podem encontrar no agrado sexual uma fonte interminável de reafirmação de seu amor companheiro. Você já imaginou alguém dedicado, horas a fio, a descobrir o que te dá prazer no corpo? É ou não é algo que, por si, dá prazer na alma? A pesquisar estímulos em áreas do seu corpo que produzem verdadeiras viagens sensoriais? A investigar quais toques seus mamilos preferem: leves ou fortes? Com os dedos, secos ou umedecidos de saliva? Ou com a boca sugando como um bebê, ou com a língua esculpindo e esfregando? A parte posterior da sua cabeça prefere ser afagada a contrapelo ou ser mordiscada? E a massagem nas costas, como é mais apreciada? É preciso procurar os nós que causam dor, a dor gostosa, e então desfazê-los com capricho. A seco ou com óleos? E a coceira? Será que suas costas gostam de ser coçadas com a ponta das unhas? Ou com a polpa dos dedos?

O outro que se entrega à sua produção de prazer, ao agrado sexual que você faz, será mais tarde o que terá vontade de retribuir. E o grande prazer aí é entregar-se, sem ter que fazer nada. Quem recebe massagem nas costas, se a massagem é profissional, dita "séria", fica com a leve frustração de que ela não continue além das fronteiras da cintura, que não se torne "indecente" ao passear por regiões secretas, sem restrições e sem pudores. Ora, no carinho sensual do amor companheiro tais restrições não têm cabimento. Ele foi feito para agradar, para bajular, para encher de felicidade a relação. Ele não despreza a sensibilidade das axilas, sua vontade de serem acariciadas de várias maneiras. Repare no desejo de fazer feliz que está presente no amor companheiro. Mesmo não se baseando no amor romântico ou sexual, ele não despreza nenhum dos dois para se cultivar. Quem ama de maneira companheira se delicia ao ver o prazer causado por seus atos estampado no corpo do outro. Do arrepio na pele aos olhos semicerrados em êxtase, a boca entreaberta, tudo diz que você levou seu companheiro ao céu. Seu prazer é que você é o mágico, o fazedor de felicidade. Seu prazer também é saber que aquele prazer voltará, em algum momento, em forma de atenções ao que você mais gosta.

O corpo inteiro (com a possível exceção dos cotovelos) é uma possibilidade de prazer. Já pensou desenvolver parceria com alguém que resolva se dedicar a essa descoberta? Já pensou em ser você o pesquisador? O quanto de felicidade você não será capaz de produzir? Você tem em suas mãos um potencial de agradar imenso, que pode ser investido para solidificar e cultivar o amor companheiro, se puder deixar de lado o senso comum que o obriga a ser atlético e simultâneo no causar e receber prazer. O amor companheiro entende que o orgasmo pode ser uma experiência variada: desde a "comunhão entre amantes", o idealizado gozar juntos, até sua expressão mais comum e simples, e ainda assim extremamente deleitável, a viagem masturbatória, solitária em seus devaneios, expressão de um momento do indivíduo que o amante companheiro compreende, acolhe e admira, e se encanta em ser veículo dessa viagem. Tenho sugerido a companheiros que se amam a acolher a masturbação do outro com carinho. Como parte do jogo de agrado sexual. É mais comum que as mulheres tenham facilidade de se masturbar em frente de seus homens, ou com eles facilitando sua viagem através dos agrados sexuais. Os homens têm mais dificuldade com a idéia, condicionados que estão a que uma ereção obriga a uma penetração. Mas têm ficado muito felizes quando vencem essa barreira, e se surpreendem ao constatar como a ereção aparece mais facilmente se desatrelada da penetração. Muitos que seguem a "lei" ereção-penetração têm me relatado que perdem a ereção depois que penetram. É que quiseram obrigar essa parte de suas anatomias, que, definitivamente, tem idéias próprias, a obedecê-los. Se o pênis não está "querendo", não adianta forçá-lo.

A despeito de o corpo inteiro ser fonte de prazer, há mais áreas corporais consideradas tabu para os homens do que para as mulheres (os mamilos, as faces internas das coxas, as nádegas, a região entre elas, envolvendo o períneo e o ânus). Porque dos homens se espera que façam coisas, que sejam ativos na relação, e das mulheres, que as recebam. O tabu reside numa idéia do macho hétero, que, coitado, acha que tem que reprimir seu desejo de ser passivo de carinho sob pena de ver sua virilidade ser posta em risco, sob pena de amolecer. Mas isso poderia ser desfeito de maneira fácil ao se informar a ele que não há possibilidade genética de um homem que tem tesão visual por mulher se transformar em homossexual. Não existe conversão nesse campo, por mais que o folclore e as piadas propaguem. Nem vice-versa, por mais que algumas patéticas religiões maltratem esses pobres-coitados para se "curarem" do homoerotismo.

Qualquer homem tem que ensinar seu amor companheiro fêmea a fazer sexo oral, e o mesmo deve ser dito sobre as mulheres. Umas usam os dentes, o que é um desastre, outras não sabem bem onde estimular. Mas nesse particular esbarramos com um tabu feminino: fazer sexo oral num homem que não está com o pênis ereto. Muitas consideram um desaforo, ainda não entendi bem o porquê, já que nenhum homem se preocupa com o estado de ereção da mulher (sim, uma vez excitado, o clitóris se incha de sangue, fica ereto) antes de lhe fazer sexo oral. Ao contrário, o sexo oral é feito para conduzir a mulher à excitação.

Os parceiros do amor companheiro precisam um do outro para aprender como se agradar. Nesse caso e em todos, eles serão eternos aprendizes de como se produzir felicidade.

Existe uma situação anatômica em que mulheres e homens se igualam: os homens não-circuncidados se parecem com as mulheres, pois suas glandes (o equivalente anatômico ao clitóris) são excessivamente sensíveis ao estímulo tátil. Sempre foram protegidas por uma pele, o prepúcio, e, se esse prepúcio não tem fácil retração, a mucosa da glande, assim como a do clitóris, precisa de uma delicadeza maior no estímulo para que eles sintam prazer em vez de aflição e dor. Não é regra geral, mas é uma das situações em que a prática de se considerar o indivíduo e suas singularidades é fonte de bons resultados.

A beleza disso tudo é fruto da curiosidade sobre o outro. Considere-se um artista do prazer de agradar, veja no rosto do seu amor companheiro o resultado de sua arte, saiba que isso terá retorno, agora e depois, quando ele se sentirá estimulado a mergulhar na pesquisa de você. Não só uma fêmea, mas um macho pode ser uma gueixa e deixar seu amor companheiro deliciado por sua cuidadosa atenção. A idéia de que cada aproximação carinhosa tem que resultar em uma aproximação sexual, e que esta tem que resultar num congresso carnal, numa transa, com penetração e ejaculação dentro, tem inibido os amantes companheiros a se achegarem. Eles não querem dar início a uma linha de montagem.

Vamos lembrar, *a ejaculação dentro só é obrigatória para a procriação.* É claro, você pode querê-la. Meu ponto aqui é que vocês não se sintam obrigados.

É um pouco como quando vou no Siri Mole, um restaurante aqui do Rio, doido para comer o acarajé delicioso que eles têm de entrada. Como uns três e, ainda que satisfeito pelos acarajés, me sinto na obrigação de pedir um prato principal. Isso só acontece porque está lá o senso comum me olhando, ali representado pelo maître do restaurante. Não, meu caro, o amor companheiro não tem maître nem obrigação. E também vou embora sem pedir o prato principal.

12. Excitação romântica

"Como é que eu chamo essa loucura feliz que sinto dentro de mim, uma espécie de alegria selvagem que nunca pensei que fosse ver? O que aconteceu com minha tristeza, meus intermináveis suspiros de solidão, onde estão minhas dores agora?"

(da letra em inglês que Tom Jobim fez para *Estrada Branca*)

É, fácil, a mais deliciosa das sensações que se pode ter sem usar heroína na veia (o que é muito problemático). Uma vez experimentada, queremos mais e mais. Como usar dessa droga sem morrer nem fazê-la perder o efeito, o encanto? Em primeiro lugar consideremos que a excitação romântica pode nos acometer dentro ou fora do amor companheiro, assim como o amor companheiro nos envolve dentro ou fora do casamento. Em ambos os casos estou convencido de que o melhor modo de se conseguir isso consiste em duas coisas: 1. Não levá-la a sério. 2. Só operar no lucro.

Vamos lá que a coisa não é simples. Primeiro, o que é ela? Nada como um poeta para definir essas coisas, dê uma olhada no que o Maestro escreveu e estamos conversados. A excitação romântica é o estado de espírito que costuma vir antes da paixão, mas vou deixar a paixão para lá porque ela, além de muito complicada, envolve sofrimento, enquanto a excitação romântica só envolve prazer e encantamento (enquanto não muda de estado). Como ela vem antes da paixão, existe ainda alguma possibilidade de tratá-la de maneira razoável. Na paixão, pode esquecer.

Vamos partir do pressuposto de que todos querem a excitação romântica a vida inteira. Creio que é um ponto de partida real. Se você quer a excitação romântica dentro do amor companheiro, não importa se no casamento ou não, sua busca é uma maravilha, pois dificilmente levará à paixão, ninguém matará ninguém e todos sairão felizes.

Você pode despertá-la (não há garantias, mas boas chances) pelo carinho gratuito e inesperado, pela compreensão de uma coisa difícil, pelo acolhimento do que nunca foi acolhido, pela curiosidade em descobrir o outro, pela vontade de dar colo, pela vontade de pedir colo que é bem acolhida, por uma consideração especial, um presente bem escolhido (às vezes uma bobagem que se encaixa bem no desejo do outro), uma surpresa agradável feita para a delícia do companheiro, a ajuda carinhosa para resolver um estresse...

Despertada, aí entram as duas regras. Não a leve tão a sério e opere no lucro. Considere que seu aparecimento foi como tirar na loteria: nada com que se possa contar; nada que se possa cobrar. É o deslumbramento de uma estrela cadente, deitado de costas na grama, numa noite sem lua na serra, longe das luzes da cidade. O que nos leva à outra questão: o quanto ela vai durar. Um poeta francês disse que as rosas, porque são rosas, vivem o espaço de uma manhã. (Eu avisei que este livro tinha coisas de jardinagem.) Se você levá-las a sério, vai querer forçar para que se estendam, e vai cair no mais comum dos erros de qualquer aproximação humana: *to wag the dog*. Tentar fazer o cachorro ficar feliz sacudindo sua cauda. A coisa não funciona assim, é o contrário: a cauda sacode *em conseqüência* da felicidade do cachorro. Pronto, ela se foi, sempre mais cedo para um do que para o outro, mas sua beleza fica registrada em algum lugar da memória do coração, e facilita a surpresa de sua reaparição.

Segundo caso: quem foi atingido pela excitação romântica não é casado, e portanto corre o risco de se apressar em dar esse *upgrade*. Ora, tudo bem. Se fosse eu, usaria as duas regras para ter tempo de verificar em que solo estou pisando, porque eu te digo: a paixão vem aí. Seus amigos e amigas, qualquer amor companheiro que exista pode ser precioso nessa hora, como fonte de conselho. Mas também pode não adiantar nada. Um amigão me disse antes do meu primeiro casamento: "Você vai entrar nessa roubada?" Entrei, demorei, saí, sem filhos (minha loteria na vida), mas sempre guardei gratidão por ele, pela tentativa.

Um pouquinho só sobre a paixão: ela é o mais forte estado de idealização do outro. Você vai ver mais sobre isso no capítulo 15, "A neurose sabe tudo". A paixão é campo fértil para a neurose. Cair na real é duro. Caramba, como é que aqueles americanos iam direto para o cartório casar à primeira excitação romântica nos filmes dos anos 40-50!?! Mergulhar de cabeça na ilusão, na idealização? Só mesmo falando como aquele apresentador de TV: "Ô louco!"

Terceiro e mais delicado caso. O atingido pela excitação romântica é pessoa casada, mas seu objeto romântico não é o(a) parceiro(a). Este item se divide em 3º a e 3º b.

3º a – A pessoa atingida não tem amor companheiro dentro do casamento. Ihh... Suas opções boas são difíceis, mas são boas: usar as duas regras enquanto tenta desesperadamente desenvolver amor companheiro dentro do casamento, sobretudo se você gosta de conviver com os filhos. Se você não tem filhos, OK, é hora de se mandar (mas usando as duas regras). As opções restantes são difíceis e dolorosas: separar e ver os filhos a cada duas semanas; deixar passar a excitação romântica para não perder o convívio com os filhos; estabelecer uma casa militar, paralela à civil (a amante). Você acha que eu só estou falando de homens. É, estou mesmo. Porque os juízes desta terra continuam dando posse e guarda dos filhos para as mães, dane-se o novo código civil, a menos que se prove que elas são assassinas condenadas, prostitutas registradas ou traficantes de drogas autodeclaradas. Em todos os outros casos eles acham que a criança "precisa da mãe". Ah, você acha que não é bem assim, que teve o caso daquela atriz, não é? Pois bem, a coisa é tão rara que até o nome da pessoa você sabe.

3º b – A pessoa atingida pela excitação romântica vive um amor companheiro dentro do casamento. As coisas são francamente mais fáceis. As duas regras podem ser usadas para que esse acontecimento não perturbe algo mais precioso e mais valorizado. Num forte amor companheiro, tal episódio pode ser até partilhado, conversado e, acredite, acolhido pelo companheiro, tal pode ser a força de um bem-cultivado amor companheiro. E as chances de separação serão menores ainda quando o envolvido vê o que tem a perder e o que tem a ganhar em cada lado. É um risco? Claro. Mas quem disse que há ação humana sem risco? Se ele for ultrapassado, o amor companheiro voltará fortalecido. É claro, é preciso cuidado. Os ciúmes de seu companheiro precisam ser respeitados. Mas companheiros que se amam costumam se respeitar e conhecer, e costumam cuidar uns dos outros. As pessoas nascem com quantidades de ciúme variáveis, e com qualidades também. Mulheres costumam ter mais ciúmes de prestígio, e portanto podem ter ciúmes de carros, computadores e amigos do marido. Menores, se elas têm vida própria. Uma mulher que tem amor companheiro por seu marido pode dizer, "tudo bem, mas não fica por aí jantando com ela, que o lugar social de tua companheira é meu". Homens costumam ter ciúmes sexuais, e aí as mulheres precisam ter cuidado no caso de excitação romântica fora do casamento. Para os homens dói muito se imaginarem cornos. Alguns dizem: "Eu respeito sua individualidade, mas, por favor, não me deixe saber, tenha essa consideração por mim." O mesmo algumas dizem. E funciona.

13. A construção do indivíduo

Fui convidado por um amigo para participar de um grupo de reflexão na casa dele. Em consideração a ele engoli meu "oba, não vou" e fui. Lá estavam professores, pedagogos, psicólogos, universitários e até um padre comunista. Ouvi calado o que já previa, o discurso voluntarista de sempre (o voluntarismo crê que a vontade é superior, mais forte e importante do que a razão, que enquanto a razão reflete burguesamente balançando o gelo em seu uísque, a vontade vai lá, salva os despossuídos e elimina os opressores). Dali me fui, mais convencido do que nunca de que a única revolução que encontra abrigo em meu cérebro e em meu sentimento é a da construção do indivíduo. As outras sempre me pareceram sangrentas trocas de tirano, algumas poucas com benefícios tardios para o campo das idéias. Em nome da tal impossibilidade da omelete sem ovos quebrados, quantos milhões de pessoas foram assassinadas na história da humanidade.

"Mas o mal da atualidade não é justamente o individualismo, que gera a exacerbação do egoísmo e a indiferença pelo outro?", poderia perguntar você. E uma das respostas possíveis a essa pergunta é "sim, você está certo". Mas se você for ao Aurélio vai descobrir que um dos usos do sufixo -ismo é indicar condição patológica. Em outras palavras, o individualismo é a doença do conceito de indivíduo, tanto quanto o voluntarismo é a doença do conceito de vontade. E por aí vai: corporação – corporativismo; democracia – democratismo; moda – modismo; ego – egoísmo, etc.

Então o que é o indivíduo? É o que acontece quando um programa cerebral com que nascemos chamado "eu" tem condições de se desenvolver. Fica mais fácil se nós seguirmos a trajetória da Patrícia. Antes de ela nascer quisemos (contra a vontade do obstetra) saber o sexo do bebê. Por quê? Para termos o maior número de informações possível sobre aquela pessoinha em formação. Foi assim que, desde o quinto mês de gestação, ela deixou de ser chamada de "a gravidez" para ser vista como "a Patrícia". Está percebendo como fomos nos treinando para aceitar sua existência única, para respeitar suas características à medida que iam aparecendo? Depois de nascida, tomávamos seus choros como pedidos de ajuda e procurávamos entendê-los e atendê-los. Mais atenção e respeito às características dela. Esse treino continuou ao reconhecer mais tarde (aos cinco anos) seu direito à sexualidade, à masturbação, à regulação de sua vontade de comer (sempre lembrava do professor de pediatria dizendo que inapetência era doença de criança rica), a dizer sim para tudo que achávamos que estava no direito de ela gerenciar, e reconhecendo que havia cada vez mais capacidade dela para tanto.

Quando a adolescência apareceu e eu a vi "ficando" com um menino (quer dizer beijo na boca no primeiro encontro), ela veio preocupada falar comigo: "Você ficou bolado (significa chateado) comigo?" Eu lhe disse que não, que o sexo era como dirigir automóvel: uma atividade gostosa mas cheia de riscos, por isso a carteira só pode ser tirada depois dos 18 anos, pois a pessoa precisa de tempo e responsabilidade para aprender a lidar com esses riscos. Mas que ninguém começa a aprender a dirigir aos 18, porque antes disso brinca de dirigir: aprende a andar de bicicleta, de patins, a atravessar a rua (ser pedestre), a observar os pais dirigindo, a entender os mecanismos do carro, etc. Afinal, o que queria dizer é que ela estava aprendendo sexo ao brincar com o sexo. Não tinha ainda "carteira", licença para fazer sexo, mas estava no seu direito brincar com ele dentro da segurança dos atos de poucas conseqüências. Respeitamos mais uma vez suas capacidades crescentes.

Com tudo isso, sendo tratada como única e observada em suas características, ela foi desenvolvendo dentro de si um gerente: o programa "eu". Há poucos meses ela teve um gesto de reconhecimento que nos comoveu: "Vocês me deixaram desenvolver um critério próprio, por isso sei decidir muitas coisas da minha vida e não preciso fazer nada escondido, nem nenhum monte de besteiras como vejo algumas colegas. Os pais delas se meteram tanto na vida delas que hoje elas não sabem bem o que querem, porque estão ocupadas fazendo coisas escondidas dos pais, contra as regras dos pais, esses são os critérios, ou seja, elas não têm critério próprio, só se atrapalham com o critério dos pais. E, pior, elas não confiam neles porque eles nunca confiaram nelas."

Esse "eu" que tem critério, esse gerente da vida dela é o indivíduo que ela é. Alguém que não é rebanho, que não se confunde com a massa nem obedece cegamente à "tchurma". Alguém que repassa consideração porque experimentou ser considerada. Que tem em si o conceito de cidadania (clareza de onde termina seu direito e começa o do outro, clareza de seus deveres e os dos outros, clareza de justiça) porque experimentou ser respeitada ao cultivar seus próprios interesses. Alguém que não abrirá mão de seus direitos *individuais* em nome de coisa nenhuma. Que não tolerará nunca um tirano, um ditador (já a vi despachar um namorado que quis pôr as manguinhas de fora nesse sentido), e, por extensão, não tolerará um Estado totalitário, ditador. Um indivíduo sabe que nenhum Estado pode se proclamar maior do que ele, que "razões de Estado" não o podem escravizar, seja em nome da salvação do proletariado, seja do que for. Em termos políticos, podemos dizer que na força do indivíduo está a matriz da democracia.

A pessoa que se sente bem com sua individualidade é a mais propensa a querer o bem dos outros, a pensar socialmente, pois isso aumenta seu prestígio de indivíduo e esta é a verdadeira recompensa da virtude. Vamos deixar claro: é da natureza humana se mover por interesses próprios, e se o nosso altruísmo, nossa vontade de fazer o bem nunca tiverem retorno, logo logo o sentimento de estar sendo otário vai aparecer.

Este livro visa à felicidade individual em primeiro lugar. Como desdobramento, o desejo de felicidade para todos, já que a infelicidade alheia ou entristece ou incomoda, nem que seja pela inveja. É um livro contra o senso comum de que a felicidade dos outros vem da renúncia à nossa felicidade. Pelo contrário: a descoberta dos valores do bem e da justiça não causa apenas a nossa felicidade, mas torna a felicidade dos outros interessante para nós. É muito mais gostoso estar cercado de pessoas capazes de apreciar nossa felicidade do que ter que escondê-la.

O amor companheiro é uma conseqüência do aprendizado de desejo que um indivíduo é capaz de empreender. Ele descobre que a amizade, com sua generosidade e seu respeito, tem tudo a ver com seus valores mais prezados. Que o cultivo do amor companheiro, ao contrário de estimular um egoísmo destrutivo, gera em nós a vontade de espalhar e partilhar bem-estar e beleza.

Minha frase predileta de Freud diz que "a virtude precisa ser recompensada nesta vida, ou a ética pregará em vão". Cultivar o amor companheiro é cultivar as virtudes de justiça e de beleza. Essas são as bases da felicidade: a recompensa que o indivíduo procura.

14. Discutir a relação (DR)

É fato notório que todos os homens odeiam o DR, a ponto de eu estar utilizando a sigla, e não o por extenso, porque um dos meus clientes assim o apelidou, como quem dá nome a uma entidade demoníaca. Como o DR tem sua importância, e como foram as mulheres que tornaram o troço odiento, este capítulo é fundamental para os leitores, mas está dedicado às leitoras.

Vamos começar com o conceito. A relação. Desculpe, não é suficiente, deixe-me reformatar: {*{{A RELAÇÃO}}*}. As mulheres parecem acreditar na existência dela com a força de quem acredita em gnomos, ou em astrologia. Como uma entidade terceira que paira sobre as duas pessoas momentaneamente envolvidas. Não é só isso, é como se fosse uma divindade a quem se deve prestar culto e devoção. E vai além, é como se a existência dela fosse um axioma (axioma: verdade que não precisa de demonstração; conceito auto-evidente) do senso comum, um dado inquestionável. Sinto muito, moças. Seu homem fica possesso quando você começa o DR, e nem precisa ser na hora do noticiário da TV, porque intuitivamente ele não acredita no que você acredita, ele não partilha da sua crença religiosa, ele não compra o seu pressuposto de se ajoelhar diante de uma divindade e servir a ela.

Suponha que ele seja ateu e você chegasse regularmente (digamos, umas 12 vezes por semana) para ele a fim de discutir a influência dos milagres da gruta de Lourdes na vida de vocês. A reação dele seria a mesma, só que aí ele saberia o que dizer e gritaria bem alto: "Eu não acredito nisso, acredito que existem dois indivíduos com suas características, e que, se nós precisarmos acertar os ponteiros, é entre nós. Nossa Senhora de Lourdes fica fora, tá!?"

Mas então por que as mulheres aderem a essa crença com tamanha facilidade? O falecido *TV Pirata* mostrou um quadro em que, no meio de um baile de carnaval, o rapaz "fica" com a moça uns cinco minutos, e quando vai saindo ela diz: "Vai, miserável, todos os homens são iguais, depois de tudo o que houve entre nós você quer jogar nossa relação no lixo!" Reparou? Já existia uma terceira coisa além deles, a tal relação, que ele queria jogar no lixo. A comicidade vinha, como em qualquer caricatura, do fundo de verdade que a cena continha. Voltando à pergunta do início do parágrafo: Por quê?

Vamos por partes: você concorda que as mulheres querem se casar mais do que os homens? Você concorda que não se casar, e cedo, para uma mulher é um desastre social, um constrangimento e especialmente aflitivo por causa de sua fertilidade com prazo limitado? Você está de acordo que, enquanto homens podem conversar sobre bundas e peitos (se o assunto é mulher, pois tal matéria tem que esperar sua vez junto com o futebol, a política, os automóveis e outros que tais), entre as mulheres, se o assunto é homem, ele tende a versar sobre variantes do relacionamento (fidelidade ou não dele, seu status, sua capacidade para ganhar dinheiro, como ficaria o sobrenome dele aposto ao dela, o que fatalmente acontecerá com os filhos, onde morariam, etc.)? Você já reparou que as revistas femininas não têm um só retrato de homem (vá lá, às vezes têm até dois) e que seu único foco, aí envolvendo roupa, maquiagem, culinária, perfumes, decoração e textos, é como agarrar e manter seu homem, como defendê-lo das predadoras, como agradá-lo, como manipulá-lo, enfim, como obter garantias de ter um homem? Você concorda que, depois dos 40 anos, uma mulher divorciada está numa posição muito pior para arranjar nova parceria do que um homem na mesma situação?

Se você concordou com algumas dessas perguntas, há de entender o drama pelo qual passam as mulheres. Intuitivamente, buscam o maior número possível de garantias para se defender de seus medos. Se começam a sentir uma atração mais forte por um homem, fazem a mesma pergunta que ele: "Onde é que isso vai dar?" Só que para o homem a resposta é óbvia: na cama. Para a mulher nem a pergunta é óbvia, ela quer dizer outra coisa: será que ele vai querer ser o HOMEM DA MINHA VIDA, aquele que vai me livrar de todos os medos de ficar sozinha, de virar titia, solteirona, no caritó, de ventre seco, largada na vida? Então eu estou completamente nas mãos desse pilantra?

Por isso, qualquer homem importante na vida de uma mulher é um potencial salvador, sim, mas também um potencial algoz. Aí é que entram as tais "garantias", assim com aspas, porque são verdadeiras facas de dois gumes. Vamos vê-las primeiro, depois falamos dos gumes da faca. As garantias mais comuns serão aqui chamadas de *consolidações externas*. São convocadas testemunhas para que a crença na tal Relação comece a se estabelecer. Ela apresenta o rapaz às amigas, depois aos pais dela, depois pede para ser apresentada aos pais dele, depois se esforça para aparecer socialmente como "casalzinho" em qualquer evento social, restaurante, teatro, cinema, etc. Se ele mora sozinho é importante passar a noite lá, o que não é difícil, já que depois do sexo é muito mais provável o homem dizer "dorme aí" do que "vamos que eu vou te levar em Brás de Pina". Qualquer resistência a essas manobras será revidada com uma chantagem emocional: "Por que você não quer me apresentar aos seus pais, eu não sou boa o suficiente? Está querendo me esconder." Em breve todo o círculo social deles saberá que está acontecendo uma Relação. Você está assistindo ao nascimento de uma divindade religiosa, a mecânica das crenças do senso comum: ora, se todo mundo diz que é, como posso eu dizer que não é?

Vou repetir (porque já comentei em *O aprendiz de liberdade*) uma crença do senso comum de que as mulheres são vítimas. Você, leitora, acha que o certo é você mesma lavar suas calcinhas e deixá-las penduradas na torneira do chuveiro porque é nojento pô-las no cesto de roupa suja e mandá-las para a máquina de lavar? Quem te ensinou isso? Desculpe, mas aposto que foi sua mãe. Sabe o que ela te ensinou? Que suas secreções internas são tão repugnantes que não podem ser tocadas por mais ninguém senão você, e que postas na máquina de lavar contaminarão toda a família com sua lepra. Isso é um absurdo contra você. Não tem nenhuma base médica ou higiênica. Se fosse assim, como você iria se sentir quando o rapaz quisesse fazer sexo oral em você? Escrevi este parágrafo para você saber que não são os homens as únicas vítimas do senso comum.

As consolidações externas servem, é claro, para empurrar o homem para o casamento. Fica implícito (é importante que tudo fique implícito, pois explicitar as coisas é a ruína do senso comum) que, se ele quiser seguir seu caminho, "sair fora da Relação", está cometendo alguma espécie de crime, de traição, "com que cara eu vou ficar diante de todos, agora?" Essa chantagem emocional implícita costuma ser muito eficaz. Nenhum homem que se acha legal gosta de ser considerado um cafajeste filho da... bem, você sabe. Mas também nem toda separação é assim, dominada pela raiva. Não resisto a partilhar a beleza da dor-de-cotovelo nos versos de Chico Buarque:

Pois é, fica o dito e redito por não dito
É difícil dizer que foi bonito
É inútil cantar o que perdi.
Daí nosso mais-que-perfeito está desfeito
E o que me parecia tão direito
Caiu desse jeito sem perdão.
Então disfarçar minha dor já não consigo
Dizer, somos sempre bons amigos,
É muita mentira para mim.
Enfim, hoje na solidão ainda custo
A entender como o amor foi tão injusto
Pra quem só lhe foi dedicação,
Pois é, então...

Enxugadas a lágrimas, as minhas, pelo menos, vamos voltar ao assunto. Mas então quer dizer que não existem relações? Não é bem assim. Quando um homem e uma mulher se casam, passa a existir uma sociedade, realmente uma coisa terceira entre eles, como seus filhos e seu dinheiro serão também. E sócios discutem sim a sociedade, suas funções dentro dela, corrigem rumos que lhes parecem indesejáveis, fazem planos, permutam ambições, verificam afinidades, enfim, fazem aquilo tudo que está no capítulo sobre acertar as diferenças dentro do casamento. E essas diferenças serão mais bem acertadas em clima de amor companheiro. E se o amor companheiro puder começar a ser cultivado antes do casamento, tanto melhor, pois o casal não se acostumará à manipulação, à chantagem, à rabugice, às trombas e vinganças.

Mas antes do casamento, ou fora dele, não existe uma relação? Depende do grau de compromisso. Amizade não convive com a entidade RELAÇÃO, a despeito de envolver pessoas que se relacionam. Reparou a diferença? O Professor Higgins pergunta (em *My fair lady*) para seu amigo Coronel Pickering: "Se eu esquecesse do diabo do seu aniversário, você reclamaria? E você emburraria se eu levasse outro amigo para sair? Você se incomodaria se eu nunca te mandasse flores?" A todas essas o coronel responde, bem inglês, "*non sense*", "*ridiculous*" e "*never*". E Higgins conclui: "Então por que as mulheres não podem ser como você?" Já sabemos a resposta. Por essas e por outras tanta gente não acredita que possa haver amizade entre homem e mulher. Eu sou dos que acreditam que pode, mas com uma cláusula pétrea: espaçamento entre os encontros. É tudo uma questão de freqüência. Como na anedota do português: perguntado se preferia o sexo oral ou o anal, respondeu: "Não sei bem, se um é muito amiúde, o outro é muito espaçado. Fico cá com o semanal." Se a freqüência se tornar amiúde, fatalmente despertará idéias casamenteiras, sobretudo se a amizade é das coloridas, ou seja, as que envolvem sexo.

As leitoras poderão perguntar por fim: mas sem as consolidações externas alguém se casa? Se elas forem conseqüências de acordos mútuos, em vez de armadilhas, casam-se sim, e casam-se melhor. Os homens também querem se casar, mas se ressentem, mesmo sem saber, das manipulações e chantagens. Uma mulher que investe no amor companheiro, na amizade considerativa, e que diz abertamente ao seu companheiro: "Eu gostaria de me casar com você, acho que nós iríamos fazer uma família legal", tem enormes chances de despertar no outro, se é que já não despertou e foi pedida em casamento, a vontade de embarcar nessa tremenda aventura humana, a empreitada de criar filhos felizes junto a alguém que você admira.

15. "A neurose sabe tudo"

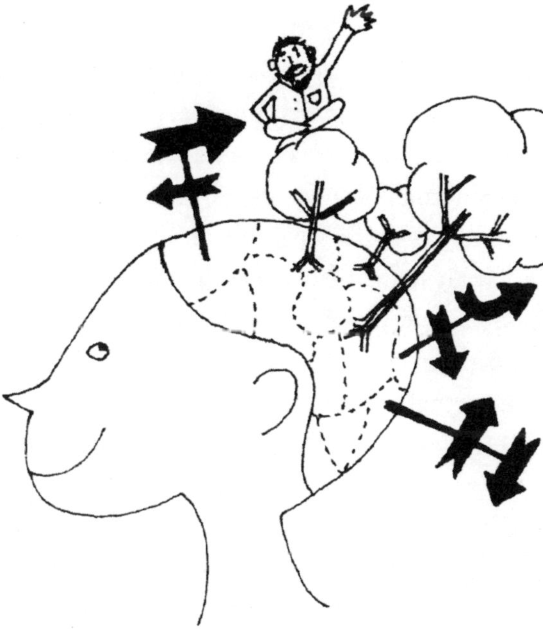

"Ela não telefonou, e isso quer dizer desprezo, falta de amor, talvez vontade de me punir, mas por quê? Eu sei, é porque eu me dou demais, ela acha que eu a sufoco, ela não me quer mais. É. É isso! Tenho certeza de que é isso... Ih, o telefone!!"

"Oi amor, estou morrendo de raiva, você acredita que só agora a telefônica veio consertar nosso aparelho?"

O que aconteceu ali? Por que ele tinha tanta certeza errada? Porque a neurose sabe tudo. Explicando melhor: quando crescemos, passamos pelo aprendizado das letras e da matemática, mas sobretudo por um aprendizado afetivo. Este fica marcado em nosso cérebro como uma trilha aberta na floresta. Se a trilha nos leva para onde nosso desejo realmente quer (como tento intensamente fazer com meus filhos), não teremos problema em distinguir imaginação de realidade. Mas se as crianças foram forçadas a trilhar caminhos afetivos dolorosos, esforçando-se para ser como os pais gostariam que elas fossem para obter uma migalha do que pareça amor, essa será a trilha aberta e repetidamente percorrida. A partir daí qualquer peteleco, o menor abalo faz a pessoa percorrer novamente a velha trilha que a leva para o lugar errado: "Fiz alguma coisa que não devia, ela não gosta mais de mim." Essas pessoas são chamadas de "carentes", como se precisassem de alguém lhes dizendo o dia inteiro "eu te amo, eu te amo, eu te amo". Não ia adiantar nada. Só a sensibilidade para o peteleco iria aumentar. "Você só está dizendo isso para me agradar, eu senti uma mudança no seu tom de voz que indica falta de sinceridade, na verdade você me acha uma chata." É mesmo. Ela é "chata" e "carente", mas essas são categorias que não resolvem nada. É preciso começar por compreender que ela tem uma neurose, como alguém tem um resfriado. Mas é muito mais fácil confundir uma pessoa com sua neurose do que com seu resfriado.

A neurose é a trilha cerebral que nos leva para onde não queremos ir. O diabo é que quem tem neurose não sabe para onde quer ir. O que fazer então? Ela vai precisar da ajuda de um terapeuta que funcione para ela como um amor companheiro de aluguel. Um pouco diferente, mais parecido com um pai, ou uma mãe, já que o terapeuta não deve esperar nenhum retorno afetivo, só cuidar, como fazemos com os filhos. Os clientes chegam, freqüentemente, dizendo: "Não sei o que eu sou. Quem sou eu?" É de se esperar que não saibam, pois passaram tanto tempo na vida tentando ser outra pessoa para ver se gostavam deles. Mas não tem tanta importância saber quem é esse "eu". Isso vem depois. O que importa é aprender sobre seu desejo esquecido no fundo do baú. O terapeuta vai tentar subir com a pessoa numa árvore de sua floresta cerebral para saber melhor para onde o desejo dela aponta, e aí começar a abrir uma nova picada, que com o uso repetido pode vir a se tornar uma trilha tão transitável como a primeira. E, se tudo correr bem, aquela antiga começará a criar mato, até sumir na floresta. Ao longo desse trabalho a pessoa pode desenvolver seus próprios amores companheiros, já que o amor companheiro é um constante aprendizado da realidade um do outro. A partir daí, se o outro não telefonar, a pessoa não terá certezas, terá hipóteses, porque a neurose foi embora, e só a neurose "sabe tudo".

16. Acertando as diferenças

"Pai, qual é seu animal favorito?" A Patrícia passou um tempo em campanha cerrada para ter um cachorro, o que para mim é uma diferença irreconciliável. Por isso (que eu já sabia onde essa conversa ia dar), eu respondia: "Leitão à pururuca." Vem o Gui em defesa da irmã: "Não, pai, o animal vivo." Estou preparado para essa também: "Ostras frescas." Argumento (aproveitando a onda ecológica) que os animais devem ser livres, que aprisioná-los é cruel. Nessa a Patrícia me pega: "Ah, quer dizer que o seu leitão estava livre aí, pela natureza, antes de virar comida?" Eu me rendo: "Minha filha, se eu não tivesse horror de bicho dentro de casa eu ia concordar com você e te dar um cachorro, mas não tem jeito. Um dia você há de ter a sua casa e quantos bichos quiser nela." Ela, meio achando graça nos meus dribles ineficazes, meio satisfeita com a minha rendição honesta, se acalma e acolhe nossa divergência.

Estou lhes ensinando: o amor companheiro conterá diferenças, umas que serão sua base, já que ele é feito de encaixes, de chave e fechadura compatíveis, outras que serão um incômodo, com as quais vamos precisar lidar da melhor maneira possível, como fizemos com o cachorro, com graça respeitosa ou com uma confissão honesta de nossos limites, por exemplo.

A diferença é conseqüência da individualidade, e lidar com ela pode ir do deslumbramento com a descoberta da novidade até ao mais sério incômodo. Eu me imagino visitando minha filha em sua casa num futuro nem tão distante e tendo que aturar seus cães. E desejo isso, por incrível que pareça, pois minha intenção sempre foi que meus filhos viessem a se tornar meus amores companheiros quando nossa relação for mais de igual para igual. Mas terei atenuantes para lidar com essa diferença incômoda: será pelo tempo da visita; é capaz que ela se condoa do velho pai e deixe os animais em outro cômodo, já que ela anda desenvolvendo as duas qualidades que mais aprecio numa mulher: é meiga e considerativa. Finalmente, quem sabe?, a velhice pode me fazer mudar de idéia a respeito de cães; afinal, só não muda de idéia quem não as tem.

Mas a coisa se torna mais séria quando o amor companheiro é cultivado dentro do casamento. Na amizade, comparativamente, é sopa. Diferenças podem ter a dimensão dos cães da Patrícia, algo temporário que sempre pode ser posto de lado. Dentro do casamento não é assim. Merece capítulo novo.

17. Acertando as diferenças dentro do casamento

"Quisera ser boi ou baca,
ou outro inseto maiore,
para dare um par de coices
na boca do meu amore."

A delicada quadrinha lusitana fala da dialética amorosa que existe dentro do casamento. Amor e ódio, o ódio atrapalhando o amor e a gente sem saber bem o que fazer dos dois, ou como usar bem um para chegar melhor ao outro. A vida nos prepara mais facilmente para expressar violência que para expressar amor. Um clássico de Charles Schultz (das tiras de Charlie Brown) mostra o pequeno Linus encantado no pátio do colégio por uma coleguinha loura. Tão fascinado com ela, ele vai se aproximando, cada vez mais perto, até que, a centímetros do rosto dela... dá-lhe um soco no nariz.

"Vai tomar no *#&!", diz amorosamente um amigo meu para a mulher. Como ele é uma flor de pessoa, ao chegar a esse ponto ela entende que passou das medidas e que o que ele quer é poder sentir amor por ela, e não que ela fique lhe enchendo o saco. Ao mesmo tempo mostra uma confiança na mulher e no lugar dela em sua vida que lhe permite pôr sua raiva em busca de justiça. Seu expletivo, ainda que passível de ser considerado grosseiro, contém uma bela esperança na conversão dela em uma mulher razoável.

A porrada verbal pode ter duas intenções diferentes no casamento: destruir o outro (quando já não há esperanças e tudo está indo para o brejo), ou converter o outro ao amor companheiro. Como é comum que um egoísta se case com um considerativo (menos comum é que dois egoístas se casem, e se dois considerativos se casam, bem, acharam o paraíso), caberá ao considerativo ensinar ao egoísta que ele existe e que há inúmeras vantagens em que o egoísta reconheça a existência do outro. Se o egoísta for capaz de aprender, nem tão egoísta assim será, afinal.

Antes de mais nada: a amizade entre o casal vem em primeiro lugar, em importância, na vida; a sociedade do casamento vem depois e naquela amizade deve se basear. Se você não está de acordo com isso, pode pular este capítulo.

Outra coisa: mulheres e homens pensam de maneira diferente. Há hoje nos Estados Unidos uma verdadeira guerra de sexos, iniciada quando o feminismo resolveu contestar a costumeira submissão feminina, no que fez muito bem. A dignidade das mulheres e a democracia como um todo ganharam muito com a descoberta de que uma mulher é uma pessoa, que tem direito de voz e voto, capacidade de ter vida própria, de se tornar um indivíduo. Apenas que, como em toda alteração da ordem anterior, o vai-e-vem dos procedimentos conduz a exageros irritantes. Como os Estados Unidos são o país dos advogados, estes logo se aproveitaram para pôr lenha na fogueira e transformar numa guerra lucrativa (para eles) o que poderia ser um acerto diplomático. Os homens passaram a ser alvo de críticas e rótulos (porco chauvinista, por exemplo), e de uma série de recomendações que seriam as regras politicamente corretas para tratar as mulheres, criando um novo preconceito politizado em termos da esquerda: o homem é o inimigo opressor, espere isso dele. A indústria de indenizações jurídicas se banhou em água de rosas de tanta felicidade. Agora não era só mais o médico que olhava seu paciente (e vice-versa) como um futuro oponente no tribunal. As mulheres também poderiam se transformar em mais uma fonte de renda advocatícia.

Transcrevo aqui uma dessas expressões da guerra que rolam pela internet, que retrata de maneira cômica e caricata não só o conflito, mas aquilo que não costuma (mas precisa) ser levado em conta na hora de resolver desavenças dentro do casamento: as diferenças inatas do jeito masculino e feminino de pensar:

"Sempre escutamos 'as regras' do lado feminino. Agora aqui estão as regras do lado masculino. Essas são nossas regras! Anote-as, por favor.

1. Aprenda a lidar com o assento da privada. Você já está uma mocinha. Se ele estiver para cima, ponha-o para baixo. Nós precisamos dele para cima, vocês precisam dele para baixo. Vocês nunca nos ouviram reclamar que ele estava para baixo, não é mesmo?
2. Domingo = esportes. É como a lua cheia ou a mudança das marés. Deixe desse jeito.
3. Fazer compras NÃO é uma forma de esporte. E, não, nós nunca vamos achar que é.

4. Choro é chantagem.
5. Peça aquilo que você quer. Fique sabendo: insinuações sutis não vão funcionar! Pistas fortes não vão funcionar! Dicas óbvias não vão funcionar! Apenas diga a coisa com todas as letras!
6. Sim e Não são respostas perfeitamente aceitáveis para quase todas as perguntas.
7. Só nos venha com um problema se você quiser ajuda para resolvê-lo. É o que nós fazemos. Para obter simpatia, procure suas amigas.
8. Uma dor de cabeça que dura 17 meses é um problema. Procure um médico.
9. Qualquer coisa que nós dissemos há seis meses é inadmissível como argumento. Na verdade, o prazo de validade de qualquer comentário nosso expira em sete dias.
10. Se você acha que está gorda, provavelmente está mesmo. Não nos pergunte.
11. Se alguma coisa que nós dissemos pode ser interpretada de duas maneiras, e uma delas deixa você triste ou zangada, nossa intenção era dizer a outra.
12. Ou você nos pede para fazer uma coisa ou nos diz como ela deve ser feita. Os dois ao mesmo tempo, não. Se você sabe a melhor maneira de fazer a coisa, está bem, vai lá e faz você!
13. Sempre que possível, por favor, diga o que você quer dizer durante os comerciais.
14. TODOS os homens reconhecem apenas 16 cores. Pêssego, por exemplo, é uma fruta, não uma cor. Abóbora é um legume. E não temos a menor idéia do que seja malva.
15. Se nós perguntamos "O que houve?" e vocês respondem "Nada", nós vamos agir como se nada tivesse acontecido. Nós sabemos que é mentira, mas é que a discussão não vale a pena.

16. Quando nós temos que ir a algum lugar, qualquer coisa que você vestir vai estar bem... de verdade!
17. Não nos pergunte o que nós estamos pensando, a menos que você esteja preparada para discutir assuntos como futebol ou mecânica de automóveis.
22. Você já tem bastante roupa.
23. Você tem sapatos demais."

Essas regras falam principalmente das diferenças de funcionamento das cabeças masculina e feminina, noção fundamental para se levar em conta na construção do amor companheiro no casamento. A seleção natural nos fez assim. Antes da agricultura, quando ainda estávamos na savana africana, nossa espécie era caçadora-coletora. Ele, caçador; ela, coletora (de frutos e raízes). A necessidade de falar é muito maior na mulher que no homem. Ele foi selecionado pelo silêncio e objetividade na caça e na guerra. Ela foi selecionada pela habilidade em construir alianças de ajuda mútua, em aprender pela fofoca a confiar ou desconfiar das outras, a passar adiante essas informações vitais no cuidado de suas crias, e isso produz um discurso cuidadoso e indireto, muito palavroso, portanto. Ela quer desabafar; ele quer solucionar problemas. Ela tem uma capacidade para enxergar detalhes ao cuidar de sua aparência e do bem-estar dos seus. São suas características de coletora. Cores, decoração, roupas e sapatos, compras em geral fazem parte disso; ele pensa muito em futebol e automóveis, que são continuações da guerra e da caça, o que atende ao desejo de variedade sexual, são suas características de caçador. O ciúme masculino é principalmente sexual ("o que ela andou fazendo enquanto eu caçava?"; "será que esse filho dela é meu mesmo?"). O ciúme feminino é principalmente de prestígio ("a quem ele vai entregar o produto da caça?"; "a quem vai dar mais atenção?").

Casamento x Amor companheiro

É preciso ter consciência de que o casamento é um potencial inimigo do amor companheiro. O padre disse no altar: "De hoje em diante sereis um só corpo e uma só alma." Por aí começa a encrenca. Não acredite, pois isso é MENTIRA! Vocês precisam crescer como dois indivíduos, com vidas próprias bem acolhidas pelo outro, pois essa é a base de um bom amor companheiro, e sem ele *simplesmente não existe casamento duradouro feliz*. Depois que vocês lerem este capítulo, e falo no plural porque ele bem que podia ser lido junto pelo casal, releiam o capítulo 13, "A construção do indivíduo", e repensem o que está escrito aqui. É minha sugestão.

Mas não é só por isso que o casamento é um potencial inimigo do amor companheiro, e, portanto, ironicamente se poderia dizer que o maior inimigo do casamento é o próprio casamento. Não. Tem muito mais. Ele tende a pesar contra as pessoas envolvidas também:

1. Porque é uma sociedade, uma empresa, com fins alheios aos nossos interesses mais imediatos. Criar bem os filhos é sim do nosso interesse, mas não tão imediato. Eles representam grande investimento emocional, enorme investimento da nossa quota de liberdade, substancial investimento do nosso dinheiro, funcionários da empresa aliados em potencial de um sócio contra o outro (os diretores, o casal). E, como se não bastasse, temos um infernal medo que mora sempre nos fundos da cabeça, mas às vezes bem na frente, de que eles morram.
2. Porque, como empresa, envolve dinheiro, suas negociações (como ganhá-lo; como gastá-lo; e o item mais controvertido: como poupá-lo) e todos os acertos de prioridades envolvidos.
3. Porque os objetivos da empresa fazem desejável que os sócios morem juntos, e isso não é coisa fácil. Fora a idéia bem senso comum de que eles *terão que ser* a única fonte de satisfação sexual um do outro.

4. Porque é indispensável que os sócios tenham afinidades ideológicas (aquelas convicções básicas de escala de valores, o que realmente consideram importante na vida; sintonia de ambições para suas vidas e para a vida de seus filhos). Aliás, sem isso, conseguir desenvolver amor companheiro é extremamente difícil. Se estiver em tempo, não tenham filhos antes de tentar muito um encontro de afinidades. Se os filhos já estiverem aí, e se o amor companheiro não for mesmo possível, OK, se separem, mas se separem de verdade, renunciem, em favor de seus filhos, a continuar a guerra sadomasoquista que se desenvolveu no casamento e que pode continuar para sempre, tendo os filhos como artilharia.

5. Finalmente, porque é uma das mais pesadas instituições culturais, o casamento é alvo de uma massa de crenças do senso comum e vulnerável à intromissão de todos os seus agentes (desde as sogras, os parentes, os colegas de trabalho, as revistas femininas, as novelas, o cinema... é interminável a lista daqueles que "sabem" o que é o casamento e que querem que você se enquadre em seus conceitos), e dentro dele a mulher é levada a pensar que tem que ter 100% do homem (senão quer dizer "que ele não a ama"), enquanto nenhum homem está preparado para ceder mais que 30% para ninguém.

Vou comentar esses itens e dar algumas sugestões, fruto desses anos todos de trabalho clínico. A primeira coisa que vou dizer é a respeito desse último item: RESISTA! Não permita que ninguém formate o seu casamento. Veja-o como um acordo único sobre a face da Terra, construído por vocês dois, como uma roupa sob medida, e JAMAIS imutável, pois, como sabemos, as roupas sob medida em breve apertarão. Se há um tempo importante para fazer essa coisa de que os homens costumam ter horror, o DR ("discutir a relação"), esse tempo é agora que ela está começando.

Você já sabe que meu objetivo neste livro é aprender a cultivar o amor companheiro. Pois é, de início o amor companheiro não tem nada a ver com o casamento. Ele pode se desenvolver, e é altamente desejável que isso aconteça, ao longo do casamento. E se eu for de alguma ajuda para isso vou ficar feliz.

Afora alguns homens que têm uma vocação casamenteira e uma vontade irresistível de ser pais, a maioria deles se casa por pressão das mulheres. E nem pense que eu estou falando mal disso, estou constatando um fato, que, aliás, apóio. O homem não se preocupa com prazo, porque pode ter filhos até morrer. Ele gosta de sexo, gosta da namorada, gosta da família da namorada, mas tem horror da monogamia imposta. Por causa disso pode até ter legítima vontade de casar, mas, se puder enrolar, enrolará. Vai precisar de um franco empurrão, sim, e depois é capaz até de gostar do novo estado.

Se queremos um futuro amor companheiro, vamos começar pelo empurrão. O doce convencimento ajuda, a chantagem emocional atrapalha (e sempre atrapalhará). Um dote ajuda (ah, você acha que eu estou sendo árabe ou antiquado? O que é então o desejo dos pais de classe média de dar um apartamento aos filhos quando se casarem?), ter que se mudar para caixa-prego atrapalha. Não acredite que um amor-e-uma-cabana sustentam um casamento. O sonho de véu-e-grinalda pode atrapalhar, mas os legisladores foram sábios o bastante para considerar a união estável como igual ao casamento, e assim terceirizaram o empurrão, o que ajuda, e muito, o amor companheiro. O golpe da barriga é uma droga de atrapalhação. Combina prisão com sentimento de culpa e chantagem emocional, eta! Nesses casos a interrupção da gravidez deve ser considerada (se bem que, no caso de ser um verdadeiro golpe, isso estará fora de cogitação). Sou a favor de que os filhos venham depois que o amor companheiro já começou a se estabelecer.

Bem, você já viu que em favor do amor companheiro eu quero que o casamento comece sem ressentimentos, sem que o homem se sinta forçado ao matadouro, ou sinta que a mulher lhe pôs coleira, para que ele veja nela alguém que está a seu favor, que quer seu bem, e isso é uma tremenda base para a amizade. A propósito, a mulher que acolhe na boa que seu marido não use aliança, mesmo se, orgulhosíssima, ela carrega uma de diamantes em *navette*, estará recebendo uma onda de grata ternura vinda dele. Ponto para o amor companheiro.

Mas vamos aos itens:

1º. Casamento = empresa. Casal = sócios. Essa concepção, longe de ser romântica, representa um duro fato da vida a se lidar bem, dentro do amor companheiro, ou a se lidar mal, com os advogados. É hora de DR (porque sim, agora existe uma relação, que é a sociedade do casamento), sinto muito, de discutir o que cada um vai fazer na sociedade e de dizer sinceramente se estão ou não achando o acordo justo. Você está realmente satisfeita que ele ganhe menos que você? Ou que ela fique em casa cuidando do ninho como sua única atividade? Porque *justiça* é a maior base do amor companheiro. É seu alicerce. Pode-se construir o que quiser depois, se o alicerce não é firme, se um sentimento de injustiça é guardado, ele crescerá e fará tudo ruir. Não se atropele, não entube o que não lhe parecer justo. Olhe para dentro e veja se você está com um amargor no coração. Fale, por favor, para que ele se dissolva. O tempo não vai resolver isso, não! Vai agravar. É o começo de uma lista que será despejada cedo ou tarde.

2º. Não há muito o que falar sobre o item dinheiro. Talvez algumas sugestões:

a) se você é um consumidor compulsivo, lembre-se, isso é um vício, uma doença a ser tratada, freqüentemente de fundo depressivo, mesmo que envolva aquele sentimento de vingança ("Ele me trai com aquela piranha, eu o traio com o cartão de crédito") e as escaladas de vingança não têm fim, vide palestinos e israelenses. É preciso que alguém pare de se vingar; b) Fazer poupança é indispensável: não há coisa pior do que ser velho pobre (pensando bem, sim, talvez velho pobre e sozinho). As mulheres, que, como resultado do movimento feminista (talvez a maior conquista social do século XX), já aprenderam o valor do trabalho, ainda têm dificuldades de negociar salários (algumas caem na besteira de encher a boca para dizer aquilo que o patrão mais quer ouvir: "Eu não preciso desse dinheiro, tenho marido!"), e quanto mais para absorver a última etapa: separar algum para a poupança em comum. O sentimento de que cada um está empurrando o carro para o mesmo lado em matéria de dinheiro é uma beleza de alimento para o amor companheiro. Esse negócio de poupança parece coisa de avarento, de munheca de samambaia, mas não é não! Eu e meu amigo Cláudio estabelecemos a seguinte defesa, já que às vezes somos acusados disso por nossas mulheres: o que nós não gostamos é de jogar dinheiro fora. Meu melhor exemplo é o da Conceição, nossa cozinheira-tia-Nastácia, e o racionamento de energia de 2001. Ao verificar cuidadosamente os desperdícios elétricos de sua casa, ela passou a economizar R$ 100,00 por mês, ou seja, a cada mês ela jogava no lixo 17% do seu salário.

É preciso lembrar que uma das maiores vantagens da sociedade do casamento é dividir custos e somar recursos. Tenham *dinheiro-santuário* para cada um, aquele que é para atender com moderação seus gostos exclusivos, fora de qualquer discussão. É difícil que ele entenda o seu creme firmador de pescoço, tanto quanto você entenda a necessidade de ele ter uma bancada de marceneiro. Não importa, é do indivíduo e é para acolher.

Um último comentário sobre o assunto. Mulheres, vocês não sabem como um homem fica feliz se vocês contribuem para o orçamento. Pode ser pouco, não importa. Fui criado, como a maioria dos homens, com a idéia de que seria o provedor da mulher e da família sem questionamentos. Era um fato da vida. Durante meu primeiro casamento foi assim, e nunca discutimos a respeito. Quando me casei pela segunda vez, Maria Elisa trabalhava. Ganhava muito pouco, mas o simples fato de ela contribuir era um deslumbramento, redimensionava minha visão do casamento, tornava-o uma união de forças econômicas que nos faria progredir, coisa que me encantava. Continuamos a progredir e hoje nos sentimos milionários, pois temos dinheiro suficiente para que dinheiro não seja assunto que nos agonie, nem que nos deixe obcecados, nem agora nem no futuro.

3º. Esse item de morar junto e ser a única fonte de satisfação sexual é dureza. Mas, como nosso objetivo é o amor companheiro, podemos deixar as fases iniciais do casamento em que o tesão visual do homem ainda está funcionando, a mulher não caiu na asneira de deixar de se cuidar porque o outro "já está no papo", dormir grudadinho e brincar de casinha ainda têm sua graça. Mas atenção: isso vai passar e, se no lugar não entrar o amor companheiro, estaremos encrencados.

O que pode ser feito nessa direção então? Em resumo: o cultivo de vida própria do marido e da mulher, admirada e estimulada pelos dois. No amor companheiro ninguém orbita na vida de ninguém, como se um fosse o sol e o outro, o satélite dependente; ninguém sacrifica *os melhores anos de minha vida* por ninguém; ninguém é grande credor nem grande devedor. Os companheiros partilham suas vidas por gosto e não por obrigação. E nunca dizem "eu vou junto" sem serem convidados. E, se não forem convidados, não emburram nem fazem bico. Há muito casamento que termina pela praga do "eu vou junto". "Mulher, vou dar um pulinho na padaria para comprar cigarros." "Eu vou junto!" Ferrou. Não! Deixa ele! Desgruda! *Get a life!* (Arranja uma vida sua para viver, dizem os americanos.) Outro enorme auxílio para o amor companheiro é o santuário. Algum território exclusivo para cada um dentro de casa, nem que seja uma escrivaninha: respeitado, inexpugnável, imunizado contra invasões, mesmo aquelas cheias de boas intenções. "Vim dar uma arrumadinha aqui, que isso está uma bagunça." Não faça isso. Você não imagina como um respeito tão simples pode ser origem de tanta gratidão. Falando de santuário, *deixe os amigos do outro em paz!* Você não gosta de alguns deles? Pois não partilhe! Vocês não são gêmeos siameses. Vai fazer alguma coisa do seu interesse quando o outro estiver com os tais.

E o sexo? Já tratei e vou tratar várias vezes do erotismo dentro do amor companheiro. Aqui apenas uma sugestão: apesar de que grande número de homens será fiel sem olhar para o lado, seja por timidez, preguiça ou vocação, para uma boa parte deles a masturbação, as prostitutas e o futebol com os amigos, ou seu equivalente, que é o happy-hour da sexta-feira, o dia dos homens, formam o tripé que sustenta a monogamia feliz. Nem todos usam as três, sendo a masturbação a mais comum. Mas aos olhos deles nenhuma dessas três coisas diminui sua mulher de nenhum jeito. Eles não querem uma profissional porque vêem nela algo de melhor que sua mulher. É só porque é diferente, e seu desejo de variedade (ou sua ilusão de liberdade) pode ser mantido. É diferente! Grande parte dos homens, quando casa e pensa "Nunca mais outra mulher", treme de horror. Não é o mesmo com a maior parte das mulheres. Por favor, não tenha ciúmes disso (principalmente da masturbação) porque não tira nenhum pedaço da sociedade de vocês, e se, pelo contrário, for acolhido, produzirá uma ternura abundante no coração do companheiro, tão abundante e com tanta admiração que levará a um sexo delicioso em casa. E a uma ausência de fissura pelo proibido.

Sobre a prostituição, uma historinha que data do caso Hugh Grant-Divine Brown (o ator inglês, noivo de uma atriz linda, que foi preso recebendo sexo oral de uma prostituta feia dentro de um carro em Los Angeles). Uma repórter foi entrevistar Jack Nicholson, um usuário famoso das garotas de programa, e deu-se o seguinte diálogo:

Repórter - Como pode ser que os homens mais desejados do mundo paguem uma mulher para ficar com vocês?

Jack Nicholson – Minha jovem, você não entendeu nada, nós não pagamos para elas ficarem conosco. *Nós pagamos para elas irem embora!*

A moral dessa historinha é que esses homens não querem que nenhuma outra mulher interfira no bom relacionamento que têm com suas companheiras, o que fatalmente aconteceria se seus interesses se dirigissem para um envolvimento romântico.

Mas não é de um machismo intolerável isso que eu acabei de dizer? Vou contar a experiência de um amigo. Ela disse: "Se você pode, eu também posso." Ele, que já acolhia a masturbação e as amigas dela numa boa, disse para ela ir em frente. Pois bem, ela contratou pelo jornal um prostituto e encontrou-se com ele num motel. Quando o rapaz disse que trabalhava num supermercado, ela o despachou, completamente esvaziada de qualquer excitação. Entendeu a diferença? E é claro que o marido que tiver ciúmes da masturbação da mulher, ou de suas tardes com as amigas, estará dificultando o amor companheiro e, sinceramente, talvez precise se tratar.

Cabe aqui discutir o conceito de traição dentro do casamento. Envolve aquilo que trai a amizade, por certo, como a deslealdade. Se um amigo meu se aproxima, se torna íntimo de um inimigo meu, está me traindo (o amigo do meu inimigo, meu inimigo é, assim como o amigo do meu amigo já recebe de mim um forte preconceito a favor). Se ele espalha o que eu lhe contei em confidência, está me traindo. Se me diminui em público, está me traindo. Se ouve falar mal de mim na frente dele e se cala, não me defende, está me traindo. Mas como o casamento é uma sociedade, é uma empresa, o conceito de traição vai mais além: qualquer ato que prejudique a empresa é uma traição. Perder muito dinheiro no jogo, nos cavalos, é subtrair da poupança conjunta. É uma traição. Investir num romance fora do casamento significa desinvestir na parceria de casal. É uma traição. Se ele (ou ela) adoece e o outro não cuida, fica indiferente, assim aproveitando para executar alguma vingança ou rancor, é traição. Afinal, a sociedade era para funcionar na saúde e na doença. Se ele ou ela torna o romance num(a) amante, a traição se agrava. Se ele ou ela se apresenta dando à(ao) amante o lugar social (público) de companheira(o), a traição ficou pior ainda.

Se ele tem filhos com a amante, a traição agravada se complica, pela continuidade de desvio de recursos. É preciso um homem ser muito rico para sua mulher tolerar a poligamia simultânea (como nas sociedades islâmicas). Digo isso porque a poligamia seriada já se incorporou aos costumes da nossa sociedade, e ninguém reclama dela. Um homem pode estar no seu oitavo casamento e ter 16 filhos, dois com cada uma, que todos acharão natural. Só que, novamente, ele precisa ser muito rico. A própria invenção da monogamia na história da humanidade é coisa recente. Em culturas menos populosas ela é francamente repudiada, pois é vital aumentar a população. A monogamia tem uma função social pacificadora... entre os homens. A proibição de que os ricos e poderosos acumulem várias esposas ao mesmo tempo faz com que haja mais mulheres disponíveis para que os menos afortunados possam também ter família, e com isso menos rancor e inveja sejam despertados. Esse é um fator de estabilidade social nas democracias: o esforço para que todos sejam iguais perante a lei, iguais em direitos e dignidade.

No entanto, quando uma mulher engravida de outro durante o casamento e faz seu marido acreditar que o filho é dele, induzindo-o a investir amor, cuidados e recursos durante anos no filho do Ricardão, ela atingiu o estágio máximo a que a traição dentro do casamento pode chegar. Mesmo assim, entre todos os animais ditos "monógamos" (aí incluída nossa espécie), os índices de filhos adulterinos criados pelo companheiro da fêmea ronda em torno dos 20%, como os testes de DNA feitos em pombos, cisnes e humanos vieram a mostrar. Na nossa espécie com uma curiosidade: quanto mais rico ou poderoso o macho, mais rara a incidência de filhos do Ricardão, a genética da mulher a faz agir como se pensasse, "meu marido serve para me prover e também é um macho admirável, bom o bastante para me dar filhos". A esposa de um macho pobre ou fraco tende a ser pressionada por seus genes a buscar filhos em um homem melhor, mais forte ou mais rico. A razão principal pela qual uma mulher fica tão ofendida se o marido transa com uma prostituta é porque, erradamente, ela está pensando nele como se funcionasse igual a ela. A mulher nunca transaria com um homem que ela não considerasse, de alguma maneira, melhor que seu marido. Por isso ela acha que o marido a está diminuindo. É ridículo, mas necessário, repetir: homens e mulheres não são apenas diferentes, também pensam diferente. É isso que o título *Homens são de Marte; mulheres são de Vênus* quer dizer.

"Mas muitos homens não cuidam dos filhos anteriores de sua mulher como se fossem seus próprios filhos?" É verdade, mas isso cai num caso parecido com a adoção: um ato de amor voluntário e consciente, e não um estelionato conjugal.

4º. Você quer alguns exemplos de incompatibilidade ideológica, pois então lá vai: o outro te acha um merda; tudo o que você diz é besteira; você o envergonha quando estão juntos; nunca sentiu qualquer orgulho por você; você deveria ser outra pessoa, pois nada do que você é está bom, ou está certo; casou-se por interesse, pelo golpe do baú, pelo golpe da barriga; você é essencialmente hippie, o outro quer ser sócio do Country; você acha aquela escola do bairro prática e amistosa, o outro quer os filhos na escola americana; você acha que vencer na vida é ser feliz, o outro acha que ser feliz é vencer na vida, ser um *winner*, um fodão; você quer que seus filhos façam amigos por suas afinidades, o outro quer que os amigos sejam filhos de pessoas influentes. Você se casou com um religioso fundamentalista e só percebeu depois (!!!). Deu para pegar o espírito da coisa? Esse negócio é tão sério que, em certos casos, *até a Igreja Católica*, vou repetir, até a Igreja Católica considera que o casamento pode ser anulado por engano essencial de pessoa.

5º. O peso da instituição casamento. É tão grande que ele às vezes me dá a idéia de que o homem e a mulher saíram de suas vidas e entraram no enredo de uma peça teatral escrita por outros, cada um com suas falas certas a dizer, suas entradas e marcações no palco a obedecer, as deixas e o texto para decorar, um cenário estreito onde se movimentar, tudo sem nada a ver com suas vidas anteriores, e, na platéia, críticos ferozes a malhar qualquer passo em falso, pior, incitando um ator a pôr a culpa de seus erros no outro até que se odeiem profundamente.

Atenção, mulheres! Vai parecer que a peça foi escrita para beneficiar vocês e aprisionar o homem. Não comprem isso. É um tiro no pé. A mulher que conseguir aprisionar um homem terá um zumbi por marido. Um zumbi que ela despreza. O casamento incita a mulher a querer 100% do marido. Ser sua dona absoluta e ser tudo para ele. São as tais "garantias". Nenhum homem gozando de boa saúde mental estará disposto a entregar mais do que 30% de si. E é importante para a mulher que ele não entregue, senão o tesão *dela* vai embora. Que mulher respeita um bobão de quatro por ela, comendo milho ali, em suas mãos? Ela pode reclamar que todas olham para você nas festas, e que você dá mole, mas, acredite, ela está adorando a leve insegurança. De novo: não deixem ninguém formatar o casamento de vocês. Sejam vocês dois os autores de cada dia, para que a história da nova sociedade que vocês fizeram acolha as pessoas que vocês eram antes das juras eternas. Se não for assim, não será a morte a separá-los, mas o ódio, que vem muito mais cedo.

Até agora, nesse último item, tratei dos tempos iniciais do casamento, que é quando seu peso institucional se faz maior. Se vocês forem os autores da forma do seu casamento, as chances de um amor companheiro crescer dentro dele são muito maiores, e aí vocês já não estão nessa de "brigar para fazer as pazes", subir no lustre vestida de dominatrix e outros truques usados para fazer "durar" o casamento.

Quando vocês tiverem filhos (o que é outra instituição pesada, sendo que a de "mãe" pesa dez vezes mais que a de "pai", a ponto de a pobre moça pensar que ela deixou de existir como pessoa, que não é mais aquela menina engraçada, que agora virou MÃE, um novo ser dentro do qual ela tem que se encaixar), vão reparar quanto "não" tolo e inútil é dito para as crianças só em nome da autoridade da instituição paterno-materna. E podem aprender a guardar os nãos para o que realmente importa. A mesma coisa se aplica ao casamento: quanta desavença boba, quanta reclamação fútil aparece só "porque nós somos casados". Pois aqui vão algumas sugestões para lidar com as desavenças que realmente importarem:

a) Acima de tudo não queira "vencer" a discussão.

Pirro, rei de Epiro, na Grécia, que em 281 a.C. venceu os romanos numa batalha no sul da Itália, perdeu tantos soldados que, ao ser elogiado, comentou: "Mais uma vitória dessas e estarei perdido." Daí surgiu a expressão "uma vitória de Pirro". Quando se discute dentro do casamento buscando ganhar a competição, ou tripudiar sobre o outro com sua vitória, e se por desgraça esse objetivo é alcançado, o vencedor tem como prêmio um cadáver humilhado e gélido em suas mãos. Se você está seguro de sua razão, procure convencer (que é vencer junto). Se não puder, desista por um tempo. Talvez a questão não seja tão importante, afinal. Se ela o for, seja cuidadoso com a dignidade do outro e talvez assim você o convença.

b) Reconhecer seus erros.

Não há coisa mais desesperadora quando se busca um entendimento do que alguém que não reconhece seus erros em hipótese nenhuma, por menores que sejam. Que confrontado com a evidência responde, "Mas você também em 1987 fez uma coisa igual", ou usa de qualquer outro artifício para escapar dessa que parece ser uma humilhação terrível: ter errado. Há pessoas em que isso é uma praga crônica, e elas têm lá suas razões históricas. Como nós estamos aqui buscando saídas, minha sugestão é que a parte menos perturbada com o reconhecimento de erros se antecipe, comece enunciando seus próprios erros. Isso pode facilitar o outro a reconhecer os seus, baseado no princípio de que se querem bem e que estão procurando onde o amor se perdeu.

c) Dar ao outro o benefício da dúvida. Não presumir malícia.

Minha irmã mais velha tinha dias de nascida e o pediatra alemão havia ordenado: "Nada de mamar durante a noite, é preciso disciplinar a criança desde cedo." Resultado: ela urrava noite adentro. Meu pai, irritadíssimo, dizia para minha mãe: "Essa criança só pode estar de implicância com a gente." Esse exemplo é a mais injusta presunção de malícia que conheço. As de dentro do casamento não são assim tão gritantes, mas podem ser igualmente injustas. Elas têm um jeito mais parecido com a seguinte forma: você tem a impressão de que o outro só fez aquilo para te sacanear, isso produz ódio nas suas entranhas. E, como "a neurose sabe tudo", essa impressão se transforma em certeza e você parte para cima com três pedras na mão. A reação automática do outro vai ser se defender, te atacar, lembrar de crimes seus de outros tempos, enfim, aquele papo de advogado atroz que não leva a nenhum acerto. Já que estamos falando em coisas de advogado, aí é que pode entrar o tal benefício da dúvida, que é uma figura do direito: o suspeito se beneficia do fato de que seu crime não está comprovado (que pairam dúvidas sobre ele) para ser tratado no tribunal como possível inocente. Se você tratar o outro como possível inocente, se você não sair presumindo sua malícia, abrir a possibilidade de um mal-entendido e não de nenhuma sacanagem, as chances de se chegar a um acordo, ou mesmo a um sincero pedido de desculpas com reconhecimento de falta, são muito maiores. Ao mesmo tempo você há de convir que fazer alguém aceitar seu argumento será mais fácil se o outro não tiver que aceitar também que é um sacana.

d) Abrir mão da chantagem emocional.

Você sabe qual é a diferença entre a mãe italiana e a mãe judia? A mãe italiana diz ao filho: "Come, menino, senão eu te mato." A mãe judia diz: "Come, menino, senão eu *me* mato." Preferia ter uma mãe italiana.

Eu sei que é difícil, e que a tentação é muito grande, mas a chantagem emocional é um veneno, e o que é conseguido com ela não vale o custo de usá-la. Se alguém me diz, "Ah, se você me amasse de verdade, faria isso assim por mim"; ou "Você nunca faz o que eu peço e eu faço tudo por você", o que me causa é que eu passo a odiar a pessoa na mesma hora, pela injustiça que está sendo cometida contra mim, mas o sentimento de culpa por odiá-la parece fazer com que as palavras da pessoa tenham algo de verdadeiro, e sou até capaz de ceder à chantagem, mas o amargo fica.

Sei disso porque a última pessoa que sempre conseguia me chantagear emocionalmente era minha mãe, na minha infância. Nossa casa era grande, dois andares e jardim. Ela interrompia alguma brincadeira em que eu estava muito interessado e comandava: "Meu filho, vai lá em cima no meu quarto, na segunda porta do armário, terceira gaveta de cima para baixo, tem uma caixa de madeira e dentro tem uma tesourinha de unha. Traz para mim." "Puxa, mãe, eu estou aqui no meio da brincadeira e..." Ela retrucava, solene: "Está bem, pode deixar que eu mesma vou..." Eu não sei que horror me dava a idéia de ela mesma ir, se ia perder as pernas por isso, ou mais provavelmente se ia deixar de gostar de mim, o fato é que eu batia continência e ia chispado. Décadas mais tarde eu a vi tentar a mesma jogada com um neto, o Bernardo. Quando veio o fatídico "Pode deixar que eu mesma vou...", o Bernardo disse, "Tá legal, vó", e continuou a fazer o que estava fazendo. Eu tive um ataque de riso, e naquela hora o Bernardo foi meu herói pessoal, lavou minha alma e me permitiu zombar dela, dizendo que afinal ela encontrava alguém em quem a chantagem não colava. Ela é inteligente o bastante para rir de si mesma, e riu; por essas e outras, temos um sólido amor companheiro hoje em dia.

e) Tentar usar o "humildificador".

Esse é um aparelho imaginário, inventado por um amigo, que tem várias utilidades, mas que é especial em desavenças entre pessoas que se gostam. Se você abre uma tentativa de acerto de desavença com uma postura fodona, arrogante, dona da verdade, a tendência, novamente, é pôr o outro na defesa e na raiva de estar sendo tratado de cima para baixo. Ora, a condição humana é fazer besteira, todos nós fazemos, portanto uma abertura de conversa que tenha a humildade de reconhecer isso tem muito mais chances de ser ouvida de maneira desarmada. Eu me treinei para apresentar uma hipótese analítica em meu trabalho dizendo "Se eu estiver errado, você me diz, mas você não acha que...", e notei que os pacientes ficam muito mais dispostos a considerar o que eu disse, e a refletir sobre a possível verdade ali contida, do que a forma acusatória das "interpretações" que costumavam ouvir de vários analistas. Os meus pacientes tinham direito de discordar, pois eu já tinha aberto essa possibilidade para eles. Quando eu fui paciente, minhas discordâncias eram interpretadas como "resistência", má vontade minha com a "verdade" enunciada pelo fodão. Pois digo: o humildificador serve para a psicanálise tanto quanto para facilitar as discussões de casal.

f) Não disfarçar as farpas como se fossem brincadeira.

Isso serve para qualquer situação, dentro ou fora do casamento.

É aquela coisa irritante de a pessoa ser irônica, sarcástica, ou simplesmente te sacanear rindo, e, se você se aborrece e reclama, lá vem o bordão: "É brincadeira! Puxa, você parece que não tem senso de humor..." É um truque odiento que costuma deixar o outro sem saída, naquele "Ah, é, é?". Até o dia em que uma cliente me ensinou a frase salvadora, que ela costuma usar para os filhos, e que adotei para mim: "Brincadeira é quando os dois se divertem. Se um ri e o outro se magoa, não é brincadeira, é sacanagem disfarçada."

g) Nunca cobrar *amor e tesão.*

É verdade que, sendo o casamento uma sociedade, algumas cobranças pertinentes a ela são necessárias, apesar de eu odiar o conceito de cobrança, que me lembra acusação de dedo em riste. Quando o desequilíbrio entre aquilo que se dá e aquilo que se recebe entra em cena, é hora de ser apontado, de preferência das maneiras gentis expostas acima. Se um está arruinando o orçamento familiar com o cartão de crédito, ou se o revezamento para atender o choro noturno do bebê está malfeito, a empresa está mal administrada e uma reunião de diretoria se faz imperativa.

Mas amor e tesão são sentimentos, não são determinados por decreto nem por força de vontade, *portanto não são comportamentos cobráveis*. Você pode decidir ser gentil, atencioso, prestativo, empenhado em agradar o outro, a fazer a sua parte na sociedade com justiça, ou mesmo com generosidade, ótimo. Mas não pode impor, nem a si nem a ninguém, sentir nada. Sentir amor, sentir tesão acontecem como desdobramento, como conseqüência de uma série de fatores, alguns deles, sim, ao seu alcance, mas outros não. Qualquer homem sabe que não é capaz de comandar uma ereção, assim como nenhuma mulher fica lubrificada porque decidiu.

É claro que essas ausências podem ser percebidas como sintomas de que algo não vai bem, e o casal que desenvolveu amor companheiro pode abordar o assunto por aí, sem ir interpretando nem levantando suspeitas, mas com delicadeza e tolerância, o que certamente vai facilitar o reaparecimento tanto do amor quanto do tesão.

Enfim, como você viu, o bom eixo em que ocorre a resolução satisfatória das desavenças dentro do casamento é o cultivo da virtude da tolerância. Se nós aprendermos tolerância, o amor companheiro vai prosperar e, quem sabe, seremos felizes para sempre?

18. O instituto da desapresentação

Na praça Clóvis minha carteira foi batida,
Tinha vinte e cinco cruzeiros e o seu retrato.
Vinte e cinco eu francamente achei barato
Pra me livrarem do meu atraso de vida.
Eu já devia ter rasgado e não podia
Esse retrato cujo olhar me maltratava e perseguia
Um dia veio um lanceiro naquele aperto da praça,
Vinte e cinco francamente foi de graça...

Lembro a primeira vez em que ouvi o samba de Paulo Vanzolini, e o quanto eu ri com ele. O ladrão, sem saber, fez-lhe um favor sumindo com aquela fotografia que ele não tinha coragem de jogar fora. Quantas vezes desejei que houvesse, assim como somos apresentados a pessoas, o instituto da desapresentação. Um chegaria para o outro e diria: "De hoje em diante estaremos poupados sequer de acenar com a cabeça em caso de encontro acidental (redundante, talvez, mas necessário reafirmar). Não nos conhecemos mais, e assim nos comportaremos, como quaisquer na multidão. Com um adicional: ninguém nos reapresentará, pois não somos desconhecidos comuns, mas do tipo que deseja permanecer desconhecido."

Estaria formalizada a desapresentação. Já pensou quanto estresse não nos pouparia? Entrei no restaurante: "Hum, olha lá aquela pessoa..." E aí começa um balé incômodo de evitar aproximações e encontro de olhares. Você passa o jantar inteiro com uma zona cega, perdendo uma das diversões possíveis dos restaurantes, que é observar pessoas e imaginar seus universos sociais.

Uma das motivações para escrever este capítulo é aproveitar o fato de que eu não sou boa pessoa mesmo, e uma pessoa assim como eu tem qualidades mesmo na sua fatia má, portanto pode passar a outros com mais pudores afetivos a idéia de que é legítimo deletar gente do nosso coração, já que é impossível deletá-las da memória. Impossível não digo, mas veja, se alguém mencioná-la você vai dizer: "Hum, pra que você foi lembrar..." Não é pelo fato de estar escrevendo um livro sobre sensibilidades e delicadezas que sou um desses "paz e amor". Gosto de ambos, mas, se a guerra é necessária, vamos a ela. Exemplo: no momento em que escrevo o Brasil em geral e o Rio de Janeiro em particular vivem uma não-declarada guerra civil contra o tráfico de drogas. Quando saem passeatas pedindo paz, ou vejo pessoas usando camisetas "eu sou da paz", só falto vomitar de raiva. Começa que eu tenho horror de pombo. E, afinal, o que essas pessoas estão querendo? Render-se ao inimigo, ao Estado paralelo feito pelos criminosos? Estamos em guerra, e o Estado legítimo tem que ganhá-la!

Depois do desabafo, volto ao nosso tema. Num filme delicioso de Laurel & Hardy (o Gordo e o Magro), o Gordo resolve ir para a Legião Estrangeira para esquecer uma paixão malsucedida. É claro que o Magro vai junto. Passados vários meses, numa hora em que o Gordo está dando gargalhadas por alguma coisa, o Magro diz: "Puxa, Hardy, você está bem melhor, acho que já se esqueceu da Lucy." O que se segue é hilário, mas infelizmente visual: o Gordo fecha a cara imediatamente e soca o ar para baixo, com raiva ("desgraçado, lembrei outra vez", o público deduz).

Mas não digo qualquer gente, não. Digo figuras sagradas da cultura, como parentes e pai ou mãe. Até hoje causa impacto uma pergunta que fiz em um livro: "Se teu pai não fosse teu pai, ele seria teu amigo?" Dentro do consultório escutei inúmeras vezes: "Se não fosse o senso comum me culpando, eu não passava nem por perto." Esse endeusamento da figura paterna não tem cabimento de ser aplicado indiscriminadamente. É para ser observado caso a caso. Nós não somos devedores eternos daqueles que nos mantiveram vivos depois do nosso nascimento. Cobrar isso é fazer como certos cartões de crédito que nos mandam um exemplar não-requisitado, não o usamos, mas depois de algum tempo, ó que surpresa, vem a fatura da anuidade. Por sorte, ou pelo desenvolvimento da nossa cidadania, o Procon estabeleceu que isso é ilegal. Também entre pais e filhos os laços afetivos vão se desenvolvendo ou não, ou vão se desfazendo, sobretudo se nossa existência em separado, nossa existência de indivíduo não é respeitada sistematicamente. Nesses casos a manutenção do vínculo afetivo acaba se tornando exclusivamente sadomasoquista, com acusações e chantagens emocionais de um lado, desaforos do outro. Se houver dependência financeira, você está ferrado mesmo. Mas, se não houver, aquele célebre acordo pode ser feito: "Você toma Lexotan e eu tomo distância, está bem?"

E nem pense que essa é uma advocacia em favor dos filhos. O mesmo serve para os pais com relação aos filhos, aos irmãos entre si, aos parentes em geral. Afinal, a despeito de que títulos tenham, pessoas são pessoas: algumas boas, outras (como eu) nem tanto, mas outras são psicopatas, maus-caracteres, predadoras incuráveis, vampiras de alma, criminosas, perversas, sádicas, invasivas, militantes do senso comum ou insuportavelmente chatas.

Sem ofensa, na falta do instituto da desapresentação, eu não quero o mal de ninguém, só quero distância. Só quero pegar meu investimento afetivo de volta para aplicá-lo em quem me enriquece o espírito.

19. O elogio do pouco

Nelson Nadoti é um ótimo roteirista, colega de minha mulher, Maria Elisa Berredo, em várias novelas da TV Globo. Ele teve um desses gestos de aquecer o coração quando, depois de ter lido *O autor mente muito*, a ficção que escrevi com Carlos Sussekind, marcou especialmente uma hora comigo para comentar o livro, através das anotações que tinha feito. Você não imagina o que isso significa para um autor. A gente gosta até de crítica que fala mal, se for bem feita (discordando dela, é claro). Ouvir de um novelista que ele se viu torcendo por alguns personagens do livro, e contra outros, foi uma viagem deliciosa. Desfrutei muito das observações e aprendi com elas. O comentário sobre o fim do livro porém se destacou para mim. Como o livro acaba bem, com o meu personagem (que se chama Francisco Daudt) vivendo feliz com sua mulher e dois filhos encantadores, numa casa de vila no Cosme Velho, simples, mas confortável, flamboaiãs, buganvílias e acácias floridas, gramíneas crescendo nas frestas dos paralelepípedos, que é o retrato da minha realidade, Nadoti se encantou com o "elogio do pouco", em suas palavras. Afinal, tratava-se de ficção, e eu poderia terminar multimilionário, fumando puros havanas num iate. E que lhe agradava ver um personagem ficcional muito do satisfeito vivendo uma vida de classe média. O que acontece é que sou ambicioso, sim, mas minhas ambições não se dirigem ao dinheiro (desde que ele exista o bastante para que eu não tenha que pensar em dinheiro, que é coisa por demais aborrecida). Elas se dirigem todas ao amor companheiro, à visão da verdade, à beleza e à justiça. O próprio livro é uma celebração do amor companheiro que tenho pelo Carlos e ele por mim. Estamos melhor caminhando juntos no entardecer de Ipanema, depois de uma moqueca de peixe no Arpoador Inn, eu implicando que ele, como escritor *cult* e neto do Lúcio de Mendonça, o esquecido parceiro de Machado de Assis na fundação da Academia Brasileira de Letras, deveria pleitear uma vaga, do que em qualquer iate.

Essa coisa do elogio do pouco me lembra o capítulo "A classe média reinventada", do meu livro *O aprendiz do desejo*, onde defendo esse tão maltratado estrato social. A esquerda juntou burguesia e classe média num ícone da acomodação, da mediocridade e do egoísmo, e passou a demonizá-las com furor (ao mesmo tempo que endeusava o proletariado, vendo nele sabedorias e qualidades que sempre me deixaram pasmo). Como eu vivi minha juventude durante o período da ditadura (dos meus 16 aos 37 anos), só ouvi constantemente que, em termos de ciências sociais, não havia verdades, só havia "discursos". O discurso da esquerda que defendia os oprimidos despossuídos, e o discurso da direita, que apoiava os opressores, o pequeno-burguês classe média servindo de capacho e endosso para a alta burguesia, os "donos do poder". Desse jeito você tinha essa "vasta" escolha: ou era do mal (se fosse rico, alto-burguês demônio; se não, pequeno-burguês capacho ou "alienado", cúmplice de "tudo isso que está aí"). Ou era do bem (herói dos oprimidos).

Esses jargões me impressionavam, mas nunca me tinham sido explicados seus sentidos originais. Eu me lembro de minha irmã ter sido muito desprezada numa discussão pós-filme-cabeça quando perguntou o que significava *lumpen-proletariat*, que um politizado havia dito com ares de coisa óbvia, como quem solta nomes de famosos para mostrar intimidade. O politizado debochou mas não explicou. Fui pesquisar. Era "proletariado em farrapos", em alemão. Pesquisando mais, descobri que proletário é aquele cujo único valor reside em produzir prole, muita gente pobre que será massa de manobra para a revolução socialista que supostamente os salvará.

Mais engraçado foi entender o significado de burguês, que pode ser explicado numa historinha. Patrícia tinha prova de história e precisava aprender sobre a transição do feudalismo para o mercantilismo (cerca de 1600/ 1700, o que antecedeu a Revolução Industrial). Expliquei que os trabalhadores do feudo, das terras do senhor feudal, eram camponeses, quisessem ou não, pois tinham que cumprir as ordens do senhor. E nem suas casas, nem a terra em que trabalhavam eram deles, pertenciam ao senhor. Seus desejos e suas ambições não contavam, pois ao senhor estavam submetidos.

Eram, portanto, como ela, Patrícia, que vivia na casa do senhor feudal (eu), trabalhava em algo de que não gostava (a escolaridade) para atender as ordens do senhor. E seus mais simples desejos, como possuir um cachorro, não eram atendidos porque o senhor feudal tem horror de bicho em casa.

Ainda que muito frustrada, ou talvez por isso mesmo, a camponesa começa a crescer e a ganhar força própria, aprende um ofício, digamos, de padeira, e começa a mercar (trocá-los por outros valores) com seus produtos (mercadorias). Isso faz com que, em breve, se torne independente do senhor feudal, construa sua casa nas cercanias do castelo (o burgo, ou cidade) junto com outros camponeses tornados mercadores. Estes, que moram no burgo, são chamados "burgueses" e formam um esboço da primeira classe média, entre o senhor e os camponeses. Com isso, a antiga camponesa, agora burguesa, pode ignorar a aversão do senhor feudal e finalmente *ter um cachorro!*

Foi assim que, na ficha-resumo, desenhamos um cachorro como símbolo do mercantilismo. E foi assim, mais uma vez, que ser da classe média e ser pequeno-burguês me pareceu muito bom. Um lugar de liberdade. Se eu sou proletário, estou ferrado, condenado a ser pobre e a ter inúmeros filhos, o que vai me deixar mais pobre ainda, já que o governo e a esquerda continuam achando lindo que os pobres sejam fabricadores de prole e não facilitam o controle da natalidade a que qualquer burguês tem acesso. Se sou milionário, elite econômica, alta burguesia ou que tais, tenho que morar em enormes mansões, condomínios cercados, ter carros blindados, casas em Cap Ferrat, um monte de aparências custosas que são um *must* (uma obrigação) dos muito ricos.

A classe média não me obriga a nada. Ninguém vai falar mal de mim porque eu não uso sandálias Rider, não compro na Impecável Maré Mansa nem passo férias em Iguabinha. Posso passar ao largo do que é *imperdível* e dos *points* da moda. Não preciso morrer de angústia porque meu custo fixo é alto, porque ele não é, meu conforto é grande e de baixo preço. Tenho a liberdade de fazer o que bem entender, até palitar os dentes na churrascaria, mas posso sobretudo me dedicar àquelas ambições de amor e de beleza que descrevi no início do capítulo, morando no meu burgo, no meu confortável pouco que o Nadoti elogiou.

PS- A nossa implicância com a Academia diminuiu muito depois que o Paulo Coelho (personagem do romance que escrevi com Carlos), o Moacyr Scliar e a Ana Maria Machado entraram para lá.

20. Forrest Gump

Espero que você tenha visto o filme, porque não dá para descrevê-lo aqui. O que vou comentar foi despertado por um artigo de jornal, nas vésperas de George W. Bush invadir o Iraque, que dizia ter triunfado o espírito de Forrest Gump, até comparando Bush a ele.

Não posso pensar em injustiça maior. Gump cultivou e conservou desde a infância os valores do amor companheiro que tenho elogiado neste livro e que têm feito minha vida digna de ser vivida. Seu carinho e proteção devota por sua eterna namorada de infância, Jeannie; por seu amigo Bubba, que lhe ensinou tudo sobre o negócio de camarões, mas que ele não conseguiu salvar da morte no Vietnã, salvando vários outros no caminho, inclusive o tenente Damm, que achava seu dever morrer em combate, como vários de seus antepassados. Salvou-o da morte e da crença no carma ao mesmo tempo. E ficava entediado na Casa Branca todas as vezes em que foi condecorado por coisas que ele achava perfeitamente triviais e inquestionáveis, não tendo nenhuma reverência pelas "importâncias" instituídas, como medalhas e presidentes. Quando o diabo do negócio dos camarões finalmente deu certo, e muito, ora, seu amigo Bubba continuava vivo em seu coração, era também inquestionável e trivial que seu nome viesse em primeiro na companhia pesqueira Bubba-Gump Shrimps, como inquestionável e trivial foi dar à família de Bubba a metade de sua parte em dinheiro quando se cansou de brincar de pescador.

Queria mesmo era cuidar de sua Jeannie. Adorei ver seus encantamentos, como quando divisou o tenente Damm no cais e, entusiasmado, simplesmente "caminhou" até ele, pela amurada de seu barco e pelo mar. É claro, nada supera em encantamento a descoberta de que o pequeno Forrest é seu filho (a estréia no cinema do menino que mais tarde veria pessoas mortas, em *O sexto sentido*), e quando Jeannie lhe diz que não, ele não tem retardo, é brilhante. Cercou sua Jeannie de proteção e carinho até que ela morresse (de AIDS, sugere o filme), e ia conversar com ela, dar notícias do filhinho dos dois, à beira de sua sepultura, sob o carvalho em que brincavam na infância. A partir daí, rico o suficiente para seus propósitos, dedicou-se a cuidar do filho com todo o amor.

"*Are you retarded, or plain stupid?*" (Você é retardado ou só burro?), perguntavam-lhe freqüentemente. Ele tinha a resposta na ponta da língua, que sua mãe lhe ensinara: "*Stupid is who stupid does*" (Burro é quem faz burrice).

"*Why don't you love me, Jeannie? I'm not a smart man but I know what love is"* (Por que você não me ama, Jeannie? Eu não sou um homem esperto, mas eu sei o que é o amor), perguntou ele, inconformado por sua Jeannie só gostar de cafajestes. E ele sabia mesmo o que era o amor. Nós nos achamos tão espertos, mas onde anda investida nossa inteligência? Julgue por aí se Forrest Gump era ou não burro.

21. As crenças de um não-crente

Quando me perguntam se eu acredito em Deus, não sei responder afirmativamente, porque não é claro para mim o conceito de Deus. No entanto há alguns deuses claros, provavelmente invenções humanas, em que posso dizer que não acredito. Um velhinho barbudo em algum lugar entre as nuvens? Não acredito. Um que nos criou para adorá-lo, que exige devoção de suas criaturas, caso contrário manda-as para o inferno? Puxa, esse é mais narcisista do que eu. Não acredito. Um que deu curiosidade ao homem e puniu-o com o banimento do paraíso quando ele quis saber tanto quanto o pai? Não acredito. Um que vive a olhar e a julgar nossos atos? Não acredito. Um que apóia instituições humanas que gerenciam e intermedeiam sua adoração pelos fiéis, obtendo com isso um poder obsceno? Não acredito. Um que favorece quem o suborna com doações e orações, desfavorecendo os demais? Não acredito. Um que, num desastre, ajuda uns e ferra outros ("Foi Deus quem me ajudou, louvado seja!", diz um sobrevivente ao lado de uma criança despedaçada)? Não acredito. Um que promete o paraíso instantâneo a homens-bomba, destruidores de arranha-céus e assassinos de Salman Rushdie, porque estão punindo os infiéis e fazendo seu divino trabalho? Não acredito. Um que manda queimar vivos mulheres (bruxas) e homens (hereges) e aceita que sua inquisição seja chamada de santa? Não acredito. Um que "está do nosso lado" em qualquer guerra? Não acredito. Um que se ofenda com "blasfêmias" ou "heresias", ou mesmo que se incomode com quem não acredita nele? Não acredito.

E se te falarem de um deus que originou o big-bang e desde então não se meteu mais? Não tenho nenhum problema com ele, mas também nenhuma adoração. E se algumas pessoas desejam adorá-lo? Assunto delas, desde que não me imponham suas idéias como não lhes imponho as minhas. Sei mesmo que a fé num poder superior que por nós zela tem sido o grande conforto da humanidade desde tempos imemoriais.

Jamais gozarei desse conforto, pois, como me explica meu querido amigo Marco Antônio (que luta para compatibilizar sua fé com seu excepcional senso de lógica), a fé é um dom reforçado por uma vontade. Como não tenho nem um nem a outra, deverei buscar consolo nas minhas crenças, todas baseadas na minha maior paixão intelectual, a razão.

Veja um exemplo de por que não abro mão da razão se a questão é moral. Dizem que Deus é a fonte da moral, que sem ele tudo é permitido, não é? Pois se um deus me diz para matar e ser cruel em nome dele, e se por outro lado minha razão e meu senso de justiça (com o qual eu e a imensa maioria das crianças nascemos) me dizem que isso é errado, não terei dúvidas em seguir minha razão e meu senso de justiça.

Por aí começam as crenças de um não-crente. Creio (e todas as vezes que disser esse "creio" você entenderá que "estou racionalmente convencido de que...") que a evolução natural nos dotou com programas cerebrais com os quais nascemos e que são a potencial chave para se viver feliz. (Existem vários outros, como sentido de números, de probabilidades, física intuitiva, etc., mas eles não vêm ao caso aqui.) São eles:

- uma psicologia intuitiva, que nos permite distinguir sinceridade de trapaça ao observar a linguagem corporal do outro; entender seus sinais de cumplicidade, de acolhimento, de desejo, de indiferença, de aversão ou de ameaça. E produzir intencionalmente (ou intuitivamente) sinais semelhantes.
- uma lógica intuitiva acoplada à memória, que nos permite desconfiar do que não soa verdadeiro (o que chamamos "bom senso", diferente do "senso comum", esse que vivo pondo sob desconfiança) e que permite que tenhamos novas idéias a partir de antigas.
- capacidade de linguagem, que nos permite partilhar pensamentos, herdar a cultura acumulada pela experiência humana e tentar traduzir sentimentos.
- capacidade de perceber perigo, acoplada ao sentimento de medo, essencial para nos manter vivos e longe de roubadas.
- capacidade de perceber contaminação, acoplada ao sentimento de nojo. Às vezes, racionalmente convencidos do contrário, chegamos a gostar de ostras, caviar e certos queijos.
- um desejo incessante por prazer, o que vai resultar na nossa reprodução, na capacidade de excitação romântica, de paixão e de amor companheiro. É verdade que esse aí também é o pai de todos os vícios, assim como da obesidade.

A seleção natural nos concebeu para ter enorme prazer com doces e gorduras (pense num *cheese-cake* com calda de framboesa ou numa picanha com a bainha bem tostada, ou em torresmos) numa época em que o homem tinha que fazer muito mais para obtê-los do que ligar para o serviço de entregas.

- um senso moral intuitivo acoplado à capacidade de altruísmo recíproco. Qualquer sociedade humana sabe distinguir uma pessoa predadora de uma moralmente confiável. E isso desde pequeno. Nossa espécie se beneficia das trocas desde sempre, e, se eu tenho mais cocos do que posso consumir e você mais bananas, ficaremos os dois felizes de trocar nossos excedentes. A vontade de agradar os outros, o medo de ser punido por trapaça, a clareza de que a predação é errada e de que a troca justa é certa, todas essas noções vêm desse programa.

Mas isso é a ficha técnica, não é o que está no coração. Essas outras crenças, com uma moradia tão mais querida, são crenças na possibilidade de ser feliz às vezes, de experimentar um encontro, quando, como resultado de se aprender sobre nosso desejo, podemos sentir amor e sentir o amor do outro por nós, como cantava uma música americana dos anos 50 (*Nature boy*: "*...the greatest thing you'll ever learn is just to love and be loved in return*" – "a coisa mais importante que você pode aprender é amar e ser amado em troca"). São crenças num otimismo não-infundado, que merece um capítulo à parte neste livro.

E a crença na beleza: fazer uma coisa bonita, seja arte, seja um agrado que dá prazer ao outro, seja um gesto de ética ativa, faz bem a nós também, suaviza nossa inescapável solidão. Eis por que um não-crente pode aprender a ser uma boa pessoa e gostar cada vez mais disso.

22. Uma aldeia amorosa

Sou solitário, bicho do mato, digo "oba, não vou" (cheguei a dar esse título a um dos capítulos de *O aprendiz de liberdade* porque ele é meu lema para não sair de casa), gosto mesmo é de conversar um a um, funciono bem até quatro amigos juntos, mais que isso já começa a me deixar tonto e frustrado de não poder ser pessoal...

No entanto, a noite de autógrafos de *O autor mente muito*, minha aventura na ficção junto ao Carlos Sussekind, foi alguma coisa de mágico. A começar pelo lugar. A Livraria Dantes fica na rua Dias Ferreira, no Leblon. Eu sei que o Leblon é um charme por si só, mas o Manoel Carlos e suas novelas ambientadas ali ajudaram a criar uma atmosfera deliciosa, quando ao lugar se junta o imaginário. Assim como Paris, compreende? Aos poucos foi surgindo uma multidão de amigos (vantagem de ter dois autores para a noite de autógrafos do mesmo livro), meus e dele, que para nós era fragmentada em surpresas emocionantes que duravam o tempo do encontro, da dedicatória e da despedida. Amores companheiros de diferentes momentos da minha vida apareceram ali, e a distância e o tempo não tinham apagado o bem-querer. Até então meu exemplo maior era o caso do Marco Antônio, amigão dos tempos de faculdade. Depois de 17 anos sem nos ver, passamos sete horas num restaurante, almoçando e batendo um papo de coração, a demonstrar que a memória afetiva não se perde.

Claro, fiquei tonto na hora com aquele volume de sentimentos me tomando e eu sem tempo de respirar. Você imagina o que é estar emocionado, fazendo uma dedicatória para uma pessoa querida, e com o canto do olho perceber outra muito querida também, *na fila, esperando para falar com você*, ora, se isso é lugar de gente querida estar?

O próprio livro já era a celebração da minha amizade pelo Carlos, e tínhamos encontrado na editora, Ana Paula, um acolhimento tão encantador que ficamos, os dois autores, apaixonados por ela. Ao ponto que quando, ao final da noite, ela nos pediu uma dedicatória para seu livro, escrevi: "Ana, quer casar comigo?" E o Carlos completou na mesma página: "Vai ter briga!"

Por aí você já viu o clima daquela noite. Mas, sabe aqueles filmes que você só consegue apreciar mesmo ao longo do tempo, revisitando-os, pensando neles? Aquela noite foi assim, ou melhor, é assim. Eu me despedi – sem saber que era a última vez que a via – da Janice, meu modelo ideal de mulher companheira, engenheira de um casamento feliz por décadas, que morreu meses depois. O mesmo se passou com Anna Maria, amiga de colégio de uma de minhas irmãs, promovida a mãe de uma cliente.

Depois de uns 40 anos sem vê-la, eu a reconheci imediatamente, as memórias de infância chovendo em nós dois. Disse "até logo, Anna", mas não era. Era "adeus".

Nos dias seguintes começou o processo de apreciar melhor o "filme". Os amigos, os clientes (estou numa profissão curiosa em que o profissional trabalha com sua inteligência e seu coração, portanto ser cliente não está muito longe de ser amigo) a me dizer como se sentiram bem ali, pelo astral da noite gentil. "Eu poderia ser amiga de cada uma daquelas pessoas, todas tinham jeito de boa gente", me disse uma cliente cuja sensibilidade valorizo de maneira especial.

Considerando tudo o que disse no início deste capítulo, como foi possível aquela noite? Cheguei à conclusão de que aquilo era resultado de anos de investimento em aprender a ser uma boa pessoa, a treinar uma fala sincera e de coração, do jeito que ensino a meus filhos: "Gentil com todo mundo; sincero com quem merece." Treino de abandonar o sarcasmo e a acidez, de ficar calado se não tenho uma coisa agradável para dizer.

Mas espere aí, deixe eu passar o "humildificador" em mim. Não vá você pensando que já consegui isso tudo. Não. Tenho certeza de que vou ser um aprendiz até o fim de meus dias... e gosto da idéia.

É, mas foi assim que investi em construir uma aldeia "do bem". Ora, numa cidade de mais de sete milhões de habitantes deve haver umas centenas de pessoas adoráveis, inteligentes, interessantes e "do bem". Por que haveríamos de ficar perdendo nossa alma com as outras? Foi isso que senti naquela noite, o que se tornou um tesouro em minha memória: que por ali passeou minha aldeia.

23. Em favor do otimismo

Quando vejo os noticiários, ou leio os jornais, tia Nastácia sempre me vem à lembrança, desconsolada e pessimista com os destinos (ou desatinos) da humanidade frente às reinações dos netos de D. Benta: "Esse mundo tá perdido, Sinhá." E mesmo parece um ato de requintada inteligência exibir descrédito e pessimismo, teorias conspiratórias em cada ato humano. Temos um parente que é tão hábil nessa arte, que, quando ele extrapola em suas considerações, sempre arremato admirado: "Ninguém engana o Eduardo."

E fico eu com aquela cara de bobo otimista, crédulo a quem

todos enganam com seus bons propósitos. Mas tenho minhas razões para ser otimista, em relação ao mundo em geral e à nossa espécie em particular. Começa que o otimismo e o pessimismo se equivalem em matéria de aproximação com a realidade. Só que, enquanto o otimismo não é de nenhuma eficácia, o pessimismo é: ele atrapalha tudo e inibe qualquer ação. Jamais escreveria este ou qualquer dos meus outros livros se eu fosse pessimista. Além disso, gostaria de enumerar os argumentos em que se baseia meu otimismo, pois estou cansado de ouvir que vivemos um tempo em que o mal venceu o bem, que a destruição venceu a construção, até de psicanalista já escutei que vivemos sob o império do instinto de morte, e que a violência isso, que a violência aquilo, os filhos estão assassinando os pais, e por aí vai. Mas vamos aos fatos.

1. Nunca houve, em toda a historia da humanidade, um número tão grande de seres humanos. Os atuais quase sete bilhões de pessoas sobre a Terra ultrapassam a soma de todos os viventes dos últimos 50 mil anos anteriores. A tecnologia passou a perna em Malthus (ele dizia que o crescimento geométrico da população frente ao crescimento aritmético dos recursos ia fazer o mundo morrer de fome). O *agrobusiness* atualmente e os transgênicos no futuro fazem com que a humanidade tenha comida para crescer ainda muito mais. Ou seja, não é o instinto de morte que está ganhando, é o de vida. "Ah, mas a diferença entre ricos e pobres é imensa." É verdade, mas um morador da Rocinha de hoje, que é a maior favela do Rio, tem uma qualidade de vida melhor que a de Nabucodonosor na Babilônia ou a de qualquer senhor feudal da Idade Média, que obrava no balde, não tinha água corrente e morria de furúnculo. Ou seja, não há como comparar um pobre de hoje com um pobre do século XIX para trás, e jamais, em tempo algum, houve uma classe média no mundo do tamanho que temos hoje. Aliás, antes do surgimento da burguesia, no século XVI, não havia classe média alguma, era tudo ou nada.

2. O número diário de bons atos, de cooperação e de ajuda mútua, atos de construção em vez de destruição, atos de educação e zelo pelas crianças em vez dos maus-tratos históricos que elas sofreram (as crianças só começaram a ser respeitadas na história da humanidade a partir da revolução industrial, final do século XVIII, quando passaram a integrar as forças de trabalho, e daí para a frente a consideração pelas crianças só vem melhorando no mundo), atos de obediência às leis, enfim, as boas ações que são realizadas pelos cidadãos comuns superam, ultrapassam os atos destrutivos na ordem de milhares, ou talvez milhões de vezes. O que acontece é que qualquer imbecil pode destruir um galpão em dois tempos a pontapés, mas são necessários empreiteiros e operários para construí-lo, e levam semanas para isso. As torres do WTC foram construídas em 1970 com milhões de ações favoráveis feitas por milhares de pessoas e produziram prosperidade durante 31 anos. Tal coisa nunca foi notícia. Bastaram 16 minutos de destruição feita por meia dúzia de fanáticos e isso nos pareceu muito mais importante do que os 31 anos de construção.

3. O que nos leva ao jornalismo. *News* significa novidades e notícias ao mesmo tempo. Bons atos nunca são novidades, e por isso nunca viram notícias. A mídia informativa é um negócio que precisa dar dinheiro, por isso qualquer meio de informação é uma variação daqueles jornais que pingam sangue com todos os seus horrores, em graus diferentes de tons, da grosseria chula à bestice metida. É inescapável que tudo o que é publicado o seja de maneira fora de contexto, ou então não parecerá novidade, pois que não há nada de novo sob o sol. Quando fui de férias para o estado de Vermont (EUA), logo depois dos eventos de 11 de setembro, muitas pessoas me perguntaram: "Você tem coragem? E o antraz?"' A cada uma eu respondia que tinha mais medo dos alces que do antraz: 157 pessoas morreram, só no estado do Maine, no ano anterior, atropelando alces na estrada, quando eles entraram fatalmente por seus pára-brisas. E quantas haviam

morrido de antraz até então? Uma! Assim eu tinha 157 vezes mais razão de ter medo dos alces que do antraz. Isso é o efeito mídia a nos dar impressão de que o mundo está se acabando.

Quando uma moça uniu-se ao namorado para assassinar os pais e receber a herança, me perguntaram se isso não era um sinal dos tempos horríveis em que vivemos. Respondi que era apenas sinal da felicidade da mídia, pois num país de 170 milhões de pessoas o fato não tem expressão nenhuma. Se fosse comum não sairia nos jornais, como não saem coisas muito mais graves, como a indiferença com a segurança nos automóveis ou a qualidade de estradas (que até apelido de "rodovia da morte" ganham), que matam um Vietnã por ano. Mas é comum, não é notícia. Cão morde homem (exceto "pitbull estraçalha velhinha") não é notícia. Homem morde cão é notícia. E, como todas as notícias são de coisas horríveis, concluímos que as coisas horríveis não são comuns.

4. A democracia apareceu na história da humanidade há cerca de 2.300 anos. Era uma experiência bem precariazinha numa minúscula cidade-estado da Grécia. Antes dela a única forma de governo se chamava Tirania, e não era xingamento não, era o nome. O chefe de Estado era chamado Tirano. Hoje é quase consenso mundial que a democracia é a forma de governo menos pior que existe. E o que isso tem a ver com otimismo? É que ela, a democracia, supõe respeito ao indivíduo, aos direitos individuais, valor que defendi naquele capítulo do começo do livro.

Enfim, são essas algumas das razões pelas quais tenho que contrariar tia Nastácia, genial criação de Monteiro Lobato, autor de livros que foram os principais amores companheiros da minha infância: não, este mundo não está perdido, Sinhá.

24. Amarcord

Agora que o livro "acabou", a campainha do recreio toca e nos resta pura diversão. Partilhar o *amarcord* ("eu me recordo" no dialeto da terra do Fellini, pois, afinal, lembrar-se significa ter história, estar vivo) é viajar na nostalgia, é aquecer o coração. O leitor que já passou dos 45 é capaz de ser, como eu, atingido pelo mesmo encantamento da memória há muito não visitada e que nos chega de surpresa. Os outros poderão experimentar a saudade do que não viveram, como eu mesmo tive fascinação, em meus devaneios, pelo *Titanic*, até que o filme viesse arruiná-los. Não que todos os filmes fizessem isso. Quando Michael J. Fox entra na praça em 1955 (*De volta para o futuro*) e encontra quatro frentistas de quepe vermelho do posto Texaco cuidando de um

Plymouth ao som de *Mr. Sandman*, quase chorei da emoção de viajar no tempo.

Mas atenção, leitor: você se acostumou a ver historinhas ao longo deste livro como pretexto para uma discussão, ilustrando um conceito ou levando a uma reflexão. Este capítulo é totalmente diferente. Ele é um painel de sensações sem finalidade outra que a própria viagem nostálgica. São historinhas sem moral, ou, para dizer de forma menos provocativa, as lembranças aqui contadas não levam a nenhuma "moral da história", não têm conclusão nenhuma, é como eu disse no início: pura diversão, ou, como diz fita acima do leão da Metro, *"Ars gratia artis"*, a arte pela arte. É para aproveitar a paisagem, porque o trem da memória não chega a lugar nenhum.

Meus critérios de escolher memórias foram parecidos com o princípio do interesse contíguo que o fotógrafo Cartier-Bresson usava: ele não fotografaria um batalhão nazista simplesmente invadindo Paris, mas um cão ao fundo, com a cabeça entortada parecendo tristeza. Assim, se eu for lembrar dos remédios da minha infância, não virão na frente a Emulsão de Scott com seu carregador de bacalhau, porque é muito óbvio, nem o Biotônico, que existe até hoje. Prefiro falar dos mais discretos Phymatosan; o delicioso Cocilana para a tosse (devia ter álcool, pois vivíamos dando uma roubadinha nele); do terror de ter a garganta pincelada com Colubiazol (o "pincel" era improvisado enrolando algodão na ponta de um lápis, embebendo-o no remédio, depois nossas mães comandavam: "Abra a boca bem aberta e diga ahhh", e rodavam o lápis na nossa goela), uma cura medieval das dores de garganta chamada "embrocação". A medicina medieval também estava representada em nossa casa pela coleção de ventosas do meu pai: pareciam uns copos de vidro grosso, boca mais estreita que a base. Novamente uma ponta de lápis era enrolada em algodão, dessa vez molhada no álcool, ateava-se-lhe fogo e era enfiada dentro do copo por instantes, depois do que se aplicava a boca do copo nas costas do "paciente". A pele subia copo adentro como uma meia laranja. Depois de seis ou mais ventosas aplicadas, lá ficávamos nós com aqueles calombos que, segundo meu pai, puxariam a "congestão" dos pulmões, evitando que a gripe (causada por pegar friagem ou sereno) evoluísse para uma pneumonia. Cáspite, que velho eu sou: além de usar ventosas, fiz ginástica pelo rádio (Ministério da Educação) com o professor Oswaldo Diniz Magalhães, o *"general" trainer* adamado daquela época ("Vamos, professora! Não desista, meu senhor!"), acompanhando as posições certas pelos quadros ilustrativos.

Da lista dos remédios eram fascinantes os tubinhos de Visyneral, com tampas de borracha vermelha: duas pílulas por dia, uma amarela, a outra marrom. Os colírios Lavolho e Optraex com seu copinho azul-leite-de-magnésia, feito de matéria plástica (como se dizia então) e encaixável no topo da garrafa, precursor dos modernos óculos de natação, que também lavam o olho, com a água da piscina que sempre vaza para dentro deles. Para a dor de cabeça era batata o Salofeno, que a tia iletrada de um amigo usava no lugar do celofane ("Fiz um embrulho lindo com papel salofeno"). Outro era o misterioso Regulador Xavier, que conhecíamos pelo rádio: número um, excesso; número dois, escassez (quantos anos foram precisos para entender que se referiam ao fluxo menstrual). Ou mesmo o Pó Pelotense, irmão do Fragol, avô dos desodorantes, que trazia no rótulo, não imagino o porquê, uma estampa do coração de Jesus.

A mesma estampa, só que colorida, com um Jesus louro e de olhos azuis estava no fundo de cartolina onde estava colado um calendário que nos fazia entender por que eles eram chamados de folhinha: era um bloco grosso de folhinhas, uma para cada data, no verso informando o santo do dia, frases edificantes, a fase da lua e as horas do nascer e do pôr-do-sol. Cada dia você arrancava uma folhinha e o ano ia ficando mais magro. Mais tarde aprendi que era através dessas folhinhas que os relógios eram acertados antes de haver a Rádio-Relógio (pela hora do nascer do sol). A Rádio-Relógio nos aterrorizava dizendo que "o minuto é um milagre que não se repete" e nos ensinava a cultura mais inútil que se possa imaginar: "A baleia orca é na verdade um golfinho gigante. O prezado ouvinte... sabia?"

Hoje em dia não acredito mais em cultura inútil. Todo conhecimento é capaz de mexer com nossos neurônios, e isso é muito divertido, para dizer o mínimo. Mas para mexer com nossos corações não havia nada como o Natal da infância. Tudo começava com as férias, o verão, a praia, o canto das cigarras e o cheiro que a terra quente desprendia quando uma boa pancada de chuva a molhava. Se dezembro tinha seus perfumes, que dirá o Natal. Desde de manhã o presunto tender (daqueles que tinham um osso dentro, que depois sumiu, não sei como, só sei que depois disso o tender piorou) estava assando no forno, crivado de cravos em cada vértice de seus losangos desenhados a faca, cercado de abacaxi em calda. Precisava ser regado de vez em quando. Nessas horas o forno aberto desprendia um cheiro divino, e nós nos sentíamos como o Tom (dos desenhos de Tom & Jerry, aqueles antigos produzidos pelo Fred Quimby), flutuando no aroma, atraídos para vê-lo assar. Engraçado, o forno tinha um botão vermelho embaixo dele, com uma seta que podia apontar para a esquerda, "assar", ou para a direita, "cozer". Nunca vi ninguém mexer naquilo. Outros perfumes do Natal vinham dos presentes, que haviam sido embrulhados com capricho, não nas lojas, mas por minha mãe, papéis lindos (daí saía o cheiro) e laços de fita se compondo, cercando a base da árvore como se fossem suas raízes. Outra viagem era o presépio, uma cidade em miniatura com personagens realistas em gesso pintado (odiei quando mudaram para santos "estilizados", artesanatos nordestinos, mexicanos e outros horrores que tais), e meu predileto: o lago de espelho cercado de serragem verde com seus cisnes refletidos. Nossa velha árvore também um dia foi substituída por outra "moderna", cheia de simbolismos, feita para combinar com um poema de Dom Marcos Barbosa que deveríamos (os sete irmãos que éramos) recitar em coro na noite da véspera, um mico total. A árvore antiga se parecia com um pinheiro, e era coberta com os enfeites mais encantadores. Jamais verei igual, pois os olhava com olhos de menino, e esses, não sabia então, eram um milagre que não se repete: velas de vidro cheias de éter, na base gordinha e colorida morava uma lâmpada oculta que fazia o éter borbulhar todo iluminado. Podia ficar horas olhando aquilo. Havia também as bolas espelhadas, mas dessas as únicas que me interessavam (por um motivo transgressor) eram as que tinham um lado escavado num buraco cônico e frisado, onde o vidro era muito, muito fino, e qualquer toque com a ponta do dedo o furava. Não sobrava uma inteira. Eu as estuprava todas. Até hoje gosto de romper o selo do Nescafé com uma dedada. Ai se eu fosse desses psicanalistas imbecis que vêem maldade em tudo...

Houve um tempo em que minha mãe cometeu a temeridade de ter conta na quitanda. Era o estabelecimento mais antigo do Cosme Velho, num casebre de 1826. Tamancos de madeira, a que chamávamos "de português", um pedaço de pau vagabundo com uma tira grosseira de couro por cima, o calçado mais barato da época, que fazia um teque-teque característico ao se andar, forravam uma das paredes (mais tarde o Dr. Sholl lançaria deles uma versão *fashion* e muito mais cara). Lá se vendia de um tudo, mas nosso maior interesse era a grande geladeira com painéis de madeira com espelhos e maçanetas de pino. Dentro moravam nossos refrigerantes prediletos: os extintos Bidu e Guará ("Guará, Guará, Guará, melhor refrescante não há"), de garrafa *art-déco*; o Guaraná caçula da Antarctica e, tão minúscula quanto ele, a garrafinha esverdeada de Coca-Cola, que levava a inscrição misteriosa "Marca de fantasia" (mais tarde foi dito que era para afirmar que ela não continha cocaína). O guaraná era enfeitado com rótulos de papel, como as garrafas de cerveja, e quando em 1958 o presidente de

Portugal, Craveiro Lopes, visitou o Brasil, a Antarctica homenageou aquela visita pondo uma fotografia do general no centro do enfeite superior da garrafa, uma gravatinha de papel sobre o rótulo principal. Sempre foi hábito se fazer piadas de português, e o general Craveiro foi motivo para mais uma. Despedindo-se no Aeroporto do Galeão (hoje, Tom Jobim), Juscelino disse ao presidente português, "Adeus, ó insigne retirante!", que lhe respondeu, "Adeus, ó insignificante!". Naquela época preferíamos de longe o guaraná da Brahma, mas em meados dos anos 60 eles mudaram a fórmula e não acertaram a mão nunca mais; o Crush, sabor laranja, linda garrafa âmbar-escuro, caneluras horizontais e o pequeno losango com a marca; o Grapette de uva ("quem bebe Grapette repete"), que deixava a língua roxa. Os mais velhos poderiam se interessar pela cerveja Black Princess ("cerveja Black Princess, guaraná Princesa; cerveja igual não há, nem melhor guaraná"), ou pela Sul-Americana, "o pão líquido".

Naquela geladeira não havia sorvetes, esses ficavam na carrocinha amarela com "sorvex kibon" escrito nas laterais. Ela morava em frente à estação do bondinho do Corcovado, junto ao ponto de táxi onde reinavam carros de praça notáveis, enormes Chryslers (levavam até sete pessoas usando banquinhos extra) e Pontiacs com motoristas que conhecíamos pelo nome. Sorvex, que eu me lembre, era o nome do tijolo de sorvete, a única coisa que a carrocinha não trazia. De resto, lá estavam o Chicabon (de chocolate); Ton-bom (de limão); Jájá (de coco); Kalu (de abacaxi), além do Delicado (uns confeitos coloridos em formato de feijão) e outras balas. Quando era vendido no estádio do Maracanã, o Chicabon ganhava novo rótulo e novo nome: ki-chute. Havia ainda o bolo de aniversário Kibon, de sorvete com frutas cristalizadas. Nunca conheci uma criança que gostasse de frutas cristalizadas, mas o disco de gelo seco que vinha junto era um sucesso absoluto: servia para mágicas e bruxarias, com muita fumaça saindo do copo com água que parecia ferver.

Na quitanda vendiam-se fogos de artifício o ano inteiro: as bichas de rodeio que existem até hoje, e dois de nomes fascinantes, o estrepa-moleque (um amarrado de bichas de rodeio que pulava enquanto explodia) e o espanta-coió, que parecia uma fita de biscoito francês em tamanho menor (o biscoito francês vinha grudado em tiras de papel de pão, de onde era tirado para, depois de mergulhado no vinho do Porto, fazer a estrutura do pavê). Em vez de biscoito, o espanta-coió tinha pingos de pólvora que estalavam de surpresa, espantando assim os coiós (quer dizer "bobos"), quando riscados na pedra da soleira da cozinha.

Na cozinha estávamos muitas vezes. Lá chegava o padeiro de bicicleta, com a grande cesta oval de palha trançada cheia de bisnagas (da grossura de um pãozinho, mas do comprimento de três), o pão francês, o sonho recheado e o pão doce, mais leve, confeitado de açúcar e creme de gema, caixas de chicletes Adams. Sua chegada era uma festa. Na cozinha catava-se o arroz e o feijão, num processo paciente em que as empregadas se empenhavam rejeitando nossa ajuda por falta de confiança, fosse o menino deixar passar uma pedra que trincasse o dente do patrão. Lá se fritava com a gordura de coco Carioca, fermentava-se com o mesmo fermento em pó Royal, com sua embalagem filosófica por conter o conceito de infinito: no centro do rótulo há uma nova latinha, no centro do rótulo da latinha outra microlatinha que tem em seu centro outra... *ad infinitum*. Lá morava o almofariz de madeira onde o alho socado com sal ficava pronto para o tempero e para escondidos furtos com o dedo, logo lambidos em delícia. Outra delícia furtiva era a fava de baunilha, longa e preta, dentro de um vidro com açúcar. Lá também observávamos as empregadas esquentando um pente de ferro com cabo de madeira no fogo do fogão para alisar suas carapinhas, que ficavam espichadas como as das damas da escultura que mora na frente do Palácio da Alvorada, um precursor artesanal das atuais chapinhas elétricas. No fogão também se derretia o sabão português em barra (da União

Fabril Exportadora, UFE) cortado em lascas e misturado com água, até que a pasta pudesse ser jogada na máquina de lavar. Todo o processo cheirava mal. Era necessário, pois ainda não havia sabão em pó. Mas havia a pasta rosa para a limpeza pesada (ela servia para "arear" as coisas), e a fedorenta creolina (Cruzwaldina, era a marca) para desinfetar os ralos (?).

A máquina de lavar parecia uma bailarina gorda e desajeitada, não só pelas pernas finas e o tronco cilíndrico (seu tanque), mas pelo seu hábito de dançar pela lavanderia. Para mim o ponto alto era o espremedor, a "cabeça" da bailarina, dois rolos com motor elétrico pelos quais se passava a roupa (e às vezes os dedos) para tirar o excesso de água antes de ir para "quarar" no quintal. O hábito de quarar a roupa (estendê-la ao sol para branquear) lembra uma deliciosa história dos anos 50. D. Maria Cecília Fontes era uma senhora chiquérrima que morava numa das casas mais lindas do Rio, na também chiquérrima Gávea Pequena. Ela e seu vizinho César Mello Cunha tinham Rolls-Royces maravilhosos, só para você sentir o clima. Ao que parece, a senhora não tomava conhecimento dos fundos da casa, mas um dia passou por lá e viu as roupas quarando. Ficou horrorizada e mandou a criadagem tirar aquilo tudo dali, imagina se alguém visse. "Mas, madame, não há nenhum vizinho, estamos cercados de floresta." "Ah", disse a Sra. Fontes, "pode passar um aeroplano..." O aeroplano bem podia ser um DC-3 da Real Aerovias, cujo símbolo era um curinga corcunda. Nos anos 50, olhar um corcunda dava azar, assim como ter coisas do mar em casa, ou plantar um salgueiro-chorão (era morte certa na família). Pessoas davam azar, e era comum tentar que essa fama colasse em seus adversários políticos. Lá em casa Hermes da Fonseca era um que nem o nome se podia falar, ele era o algoz do presidente Affonso Penna. Santos Dumont era outro. A família de um amigo, getulista até debaixo d'água, tentava fazer que Carlos Lacerda tivesse essa fama. A última pessoa que ouvi dizer que dava azar foi a cantora Fafá de Belém, não tenho idéia do porquê. Acho que saiu de moda as pessoas darem azar, será? As coisas e palavras não, porque a superstição é universal e imortal. Muita gente vai ficar horrorizada de simplesmente ler neste texto a palavra azar.

Além do sabão derretido usava-se também o anil Rickett, uma pedra azul parecendo giz de sinuca que vinha vestida num saquinho de pano. Minha mãe nunca soube (ai de mim, saberá agora), mas estraguei muito anil só para ver a água da torneira ficar azul, escorrendo de minhas mãos que escondiam uma pedra de anil até que ela se derretesse inteira.

Na lavanderia também se guardava o Gamexame, um poderoso inseticida que devia ser tóxico como o diabo. Vinha em tubos amarelos de lata, de onde se tirava uma pastilha grossa. A idéia era atear fogo à pastilha posta num pires. Logo saía dali uma espessa fumaça amarelada que enchia qualquer cômodo. Este deveria ficar então fechado e sem ninguém por três horas. Ora, atear fogo ao que quer que fosse era comigo mesmo, e assim andei dedetizando a casa muito além do necessário.

Minha carreira de incendiário teve seu clímax e seu fim com o quarto do seu Adroaldo. Ele era o faz-tudo folclórico da casa. Servia para trocar fiações, desentupir ralos e servir à francesa como garçom em dias de gala. Também saía para serviços diversos. Num desses foi buscar um vestido da minha mãe na casa da costureira (as mulheres quase não compravam roupa pronta nos anos 50). Quando atendido à porta, ele perguntou: "É da casa da alfaiata?" Outra vez, servindo à mesa, minha mãe lhe pediu que trouxesse o açúcar. "Esse não basta, D. Lygia?", disse, apontando um açucareiro cheio bem em frente a ela. Seu Adroaldo fumava Continental sem filtro, fazia cintos com os maços vazios, dobrando-os de maneira habilidosa, e morava num quarto debaixo da escada ao lado da garagem, dando para a área. Estava, pois, no meu território de pesquisas. Lá, dentro de seu armário de madeira, encontrei uma gravata com o Pão de Açúcar pintado, e as prateleiras forradas de maneira caprichosa com papel de embrulho cor-de-rosa em que ele havia recortado uma borda cheia de pontas rendadas. Dobrada para baixo, escondia a espessura das prateleiras. Ao meu alcance um maço de cigarros e uma caixa de fósforos. Tive a brilhante idéia de acender cada uma daquelas pontas e ficar olhando enquanto elas queimavam. Não consegui apagar o fogo e lá se foram o armário com suas forrações, todas as roupas dele e a bela gravata do Pão de Açúcar. Mais danos não houve porque o quarto era pequeno e foi acudido a tempo. Mas me lembro do meu cinismo em ficar brincando por perto, disfarçando, como se os rolos de fumaça que saíam pela janela nem me chamassem a atenção, nem fossem coisa com que eu tivesse alguma ligação. Já disse: não nasci boa pessoa.

O fogo também acendia a brasa na ponta da espiral Durma Bem, que prometia (mas cumpria?) espantar os mosquitos durante as infernais noites de verão antes do ar-condicionado. O ventilador Marelli, italiano, com grade raiada, não dava conta, quanto mais que seu vai-e-vem tinha que atender a minha cama e a do meu irmão. Em certas noites especialmente abafadas o recurso extremado era molhar os lençóis com água gelada. No meio da madrugada, visitava o banheiro onde ficava a moringa de barro Salus para beber uns goles mamando em seu bico fino (sempre foi uma batalha perdida lá em casa evitar que as crianças bebessem diretamente da garrafa). Sua água se mantinha fresca, depois fui aprender, porque o mesmo barro que lhe dava aquele gostinho delicioso também transpirava.

No fogo se sapecava o coco maduro, já vazio de sua água, antes de ser violentamente atirado contra o chão da área, os pedaços já prontos para soltar a polpa que iria ser ralada e espremida dentro de um guardanapo. Era assim que se obtinha o leite de coco para os doces e as moquecas de peixe. Muito mais difícil era fazer a maionese. A gema cozida do ovo era amassada num prato, e sobre ela se corria um fio de azeite, enquanto com um garfo minha mãe ia batendo a mistura e comandando a pessoa que segurava a lata de azeite. Era disputada entre os filhos a honra de correr o azeite, pois a delicada arte da maionese consistia em chegar ao ponto certo sem "desandar". Se esse desastre ocorresse, era jogar fora e começar tudo de novo.

Na área as galinhas, compradas vivas e transportadas numa espécie de buquê de jornal com as patas amarradas numa ponta e a cabeça "florescendo" na outra, eram depenadas no pescoço e ali a cozinheira passava a faca, sobre um prato fundo para recolher o sangue que iria virar molho pardo. Compravam-se nas casas de aves e ovos (no momento em que escrevo ainda existe uma que eu conheça, na rua Bento Lisboa, no Catete), com seu cheiro quente, inconfundível e ruim. O mesmo cheiro que se desprendia delas quando, já mortas, eram banhadas em água fervendo para soltar as penas.

A área era também lugar dos automóveis, e os dos anos 50 foram uma fascinação à parte. Acho mesmo que muito do turismo de Cuba se deve àquelas relíquias ainda em funcionamento. Quando em 1954 meu pai comprou um Chevrolet '53 (ele sempre achou que comprar carro zero era jogar dinheiro fora), branco, o interior forrado em azul-escuro, aquele perfume de carro novo que só os da GM tinham, o selo "Body by Fischer" sob uma carruagem, estampado na soleira da porta da frente, nós nos achamos milionários entrando num universo de *glamour*, e meu pai de terno azul-marinho ao volante daquela maravilha era o homem mais elegante do mundo. Os carros automáticos (os da GM se chamavam hidramáticos) já tinham me causado impacto por só terem dois pedais. Tio Marcello trouxe um, Chevrolet '50, de sua lua-de-mel nos Estados Unidos (olhe só, as pessoas iam viajar e traziam um carro na bagagem... do navio, claro). Era cinza, duas portas, com teto grená. Mas nada me preparou para o surgimento do Bernoldo, motorista do tio Zequinha, o general José Daudt Fabrício, dirigindo um Chevrolet' 55 preto, oficial (chapa branca), de UM pedal apenas, o do freio. Aquilo me parecia o cúmulo da modernidade. Depois descobri que o malandro escondia o acelerador debaixo do carpete.

Mas nada bateu em encantamento o Chevrolet' 57 da nossa vizinha Lina (comprado em 1957!). Ele era tão lindo, azul-piscina com teto creme, quatro portas sem coluna entre os vidros, que até hoje colecionadores pagam fortunas por um exemplar, considerado clássico. Pegar carona nele para ir ao colégio era como andar no Rolls da presidência em dia de parada. Isso sem dizer que a Lina era um clone da princesa Grace de Mônaco, seus enormes olhos azuis combinavam à perfeição com o carro, suspeito que de propósito. Como se não bastasse, a primeira vez em que fui à casa dela para brincar com seu filho mais velho, eu devia ter uns nove anos, na saída ela me perguntou se eu gostava de bombons. Ora, bem, sim... Daí ela abriu uma grande gaveta numa cômoda que era a caverna de Ali-babá dos bombons, os laminados em ouro e prata faiscando, pegou um envelope pardo, encheu-o e deu para mim, me conquistando para o resto da vida. Vou adorar quando ela ler este parágrafo. Que arte de estabelecer um eterno amor companheiro no coração de um menino.

Do menino que se fascinava com o avô dos atuais *break-light:* um pequeno sinal de tráfego pendurado por trás do pára-brisas traseiro. Se o motorista acelerava, a luz verde se acendia; se tirava o pé, acendia a amarela; se pisava no freio, a vermelha. Queria que meu pai seguisse os carros que o tinham, coisas de menino. Do menino que continuo sendo...

Não pense que só os Chevrolets brilhavam naquela época. Os Cadillacs eram namorados à distância, um amor impossível. Tudo começou com a limusine Cadillac 1948 da família Bezerra de Mello, moradores de um casarão neoclássico ao lado da vila onde moro hoje, sempre no mesmo Cosme Velho. A imponência negra nos impressionava e despertava respeito ao passar. Depois apareceu nosso motorista, que era funcionário do Ministério da

Educação mas fazia seus bicos por fora (que surpresa), dirigindo a limusine Cadillac '54 do ministro Clóvis Salgado. Ele me deixou entrar no espaço traseiro, apertei o botão que levantava o vidro separando motorista de passageiro, duas novidades de uma vez, que eu nunca havia acionado um vidro de carro sem girar a manivela. Quando fui experimentar o assento, caí sentado no chão, tão grande era o espaço. Mas só fui descobrir o segredo da tomada de gasolina no Cadillac '53 da Maria Alice, amiga de minha irmã. Ela se escondia sob a lanterna esquerda do rabo-de-peixe. Apertava-se o olho-de-gato abaixo dela, ela se destravava, suspendia-se então a lanterna inteira e lá estava a tampa do tanque.

Os Cadillacs consumiam gasolina azul, muito mais cara que a comum. Uma vez Maria Alice parou num posto Atlantic e mandou completar o tanque. Vendo girar o marcador de preço, comecei a entender o que era ser rico. Também havia, só no posto do Iate Clube (na época Yacht Club), a gasolina verde, mais cara ainda, "de aviação", que abastecia os hidroaviões guardados no hangar do clube e o carro de alguns exibicionistas. Caramba, estou ficando velho: não é que eu vi esses hidroaviões lá, e voando? As gasolinas daquele tempo tinham um cheiro delicioso. Nos anos 60 resolveram aditivá-las com o chumbo-tetraetila e elas se tornaram fedorentas até hoje. Saiu o chumbo, mas não o fedor. Em 1959 morreu o Oswaldo Aranha, nosso vizinho de bairro. O presidente Juscelino veio ao velório num lindo Cadillac '58 cinza, o motorista e seu ajudante de libré cinza e boné, tudo combinando. Agora me dou conta de que o Cosme Velho já teve dois velórios com presidentes da República. O do Roberto Marinho recebeu o Lula, mas esse veio de Ômega, já não teve a mesma graça.

Os Buick traziam escotilhas de navio na lateral dos pára-lamas dianteiros. O tio João tinha um, dirigido pelo Waldemar, um negro alto e elegante em seu terno. Quando envelheceu, meu pai o viu passar na rua arrastando os pés e disse: "Coitado do Waldemar, já está engomando." Nos Oldsmobilles era o volante de direção que nos fascinava: bem no centro parecia flutuar o planeta Saturno com seus anéis, dentro de uma vitrine de plástico. O Thunderbird '58 do Armando Pitiglianni era cor de morango (em homenagem à sua mulher, Terezinha Morango, Miss Brasil de 1957) e, suprema elegância, levava a placa DF 1: número 1 do Distrito Federal, o bom tempo em que o Rio era reconhecido como porta de entrada, cartão de visitas e a capital natural do Brasil. Mas... a inveja matou Caim, na porta do Serafim (se você se lembrar o que dizem hoje em dia da inveja, vai ver como os tempos de antigamente eram mais gentis, ainda que menos precisos). As placas cor de laranja e letras pretas tinham em cima à direita uma outra plaquinha presa por um cabo selado, com os mesmos números da placa principal. A cada ano mudavam de cor, para certificar ao guarda que os impostos estavam em dia.

Na área, no pátio do colégio, onde quer que fosse possível jogávamos búrica, ou búlica, como chamávamos o jogo de bolinhas de gude. "Marraio filidô sorrei!" era o grito de guerra. Queria dizer: "Marraio" (sou o último a jogar); "filidô sorrei" (ferido sou rei, ou seja, em caso de ser atingido por outra bolinha, continuo com a vez do jogo). Meu objeto de desejo era o "olhinho", a bola de gude transparente com uma carambola amarela dentro. Mas havia outra, assassina, uma bilha tirada de rolimã. Você queria expulsá-la do jogo e para isso caprichava no teco. Ela nem se movia e ainda partia seu querido olhinho em dois. Foi então que descobri que a carambola não existia como objeto em si, era só uma tinta na massa de vidro.

No fundo da área ficava a garagem e acima dela meu refúgio mágico, um lugar para se brincar em dias de chuva que ganhava o pomposo nome de "ginásio". Será que no projeto alguém o pensou como uma academia de ginástica doméstica? Não sei. Sei que lá em casa os cômodos recebiam uns nomes bem esquisitos. Escritório, despensa e adega são comuns, mas havia o "hall", o "living", a "salinha francesa", o "jardim de inverno" (que nunca viu uma única planta) e o tal "ginásio". Quem lembra de *Sabrina* do Billy Wilder, com Audrey Hepburn e Humphrey Bogart, vai entender direitinho. O ginásio era o equivalente ao apartamento sobre a garagem onde o motorista Fairchild, pai da Sabrina, morava. Lá em casa em versão miniatura, por favor. Sempre achei que minha profissão alternativa seria ser o Fairchild: carros maravilhosos para dirigir e muito, muito tempo para ler (o que mais faziam os *chauffeurs* na vida era esperar, quase tanto quanto um ator de televisão ou de cinema).

O ginásio era o lugar em que eu brincava acompanhado de meus primos e minha irmã, ou ouvia rádio, se estava sozinho. Monteiro Lobato e os livros só entraram em minha vida aos 12 anos. E rádio era a Rádio Nacional, com suas novelas, musicais e seriados. A TV Globo da época. O aparelho era grandão, com um toca-discos em cima, uma radiovitrola, pois, com o gramofone do cão, "a voz do dono" e tudo. Os discos eram bárbaros, todos em 78 rpm, era preciso trocar a agulha depois de três discos, mesmo as "semipermanentes" da marca Paillard. Havia os americanos como *Strangers in paradise*; *Baião de Anna*; *Hernando's Hideway; Tea for two*. E nacionais como *Chofer de praça* ("batendo pino sigo meu destino caminhando para onde Deus quiser, a vida passa, vou sentando praça, primeira, segunda, prise e marcha à ré..."); *Café soçaite* com o Jorge Veiga ("Doutor em anedotas e em champanhota, estou acontecendo no café soçaite, só digo enchanté, muito merci e all right, troquei a luz do dia pela luz da Light...); tudo do Dorival Caymmi ("é doce morrer no mar..."; "o pescador deixa que seu filhinho pegue jangada, faça o que quiser, mas dá pancada se o filhinho brinca perto da lagoa do Abaeté..." Essa dava medo); Sylvio Caldas e o *Chão de estrelas* ("a porta do barraco era sem trinco, mas a lua furando nosso zinco salpicava de estrelas nosso chão... tu pisavas nos astros distraída...") me fazendo viajar na poesia das imagens. A mais amalucada era *Para inglês ver*, do Lamartine Babo (Ai loviú, forguetisclaine maini itapiru...), parecia o nosso jeito de imitar as canções americanas. A versão de *In the mood* era surrealista ("Edmundo nunca sabe bem o que faz/ ele é um sujeito distraído demais/ dizem que uma noite quando em casa chegou/ antes de ir para a cama ele fez tal confusão/ que o chinelo no seu travesseiro deitou/ e se ajeitando foi dormir no chão").

E uma triste, triste: "Os olhinhos do menino 'marejô' quando seu pai viajou. Quando seu pai viajou não avisou ao menino quando iria voltar. Mamãe disse que foi Jesus que levou o papai pra passear. Jesus Cristo sempre sabe o que faz, o menino ouviu isso e calou. Assentou-se num banquinho o pobrezinho... ai, meu Deus, ai... e os olhinhos do menino 'marejô'..."

Embaixo ficavam o rádio e seu olho mágico. O olho mágico era... bem, mágico. Redondo, vinha dele uma luz verde, e duas faixas escuras opostas, como duas fatias de queijo encostadas pelo bico (igual ao símbolo da radioatividade), que aumentavam ou diminuíam de acordo com a sintonia da estação. Quanto mais bem sintonizada, mais estreitas as fatias, até a hora em que o dial passava do ponto e elas começavam a engordar. Gostava de controlar as piscadelas do olho mágico mexendo no botão, mesmo que a sintonia da Rádio Nacional já estivesse perfeita. De manhã um programa me chamava a atenção: "A alma das coisas". Um drama doméstico contado pelo ponto de vista de um objeto da casa, uma tesoura, por exemplo, contando sua vida como se ela pensasse pensamentos de tesoura.

Ao ligar, as válvulas do rádio cintilavam forte, com sua luz laranja, para logo diminuir a intensidade. Uns dez segundos para "esquentar" e o som aparecia. À tarde havia as novelas, de que me lembro só dos anúncios. O publicitário Lula Vieira, que escreveu livros sobre os "reclames" de antigamente ("Incomodada ficava sua avó"), há de gostar disso. "A criança acordou (som de choro ao fundo), dorme, dorme menina... Tudo calmo ficou, mamãe tem Aurissedina." "Pílulas de vida do Dr. Ross fazem bem ao fígado de todos nós", e sua paródia em voga: "Pílulas de vida do

Dr. Bode, entra pela boca e sai por onde pode." "Magnésia leitosa, gostosa, fiel, magnésia leitosa de Orlando Rangel", e a paródia da PRK-30, o "Casseta e Planeta" de então: "Magnósia leitésia, gostosa, fiel. Magnósia leitésia, *já vem com papel.*" E uma que há de enganar os mais novos: "Toc, toc, toc. Quem bate? Eu sou a água-de-colônia... Regina, eu sou o sabonete, eu sou o talco Regina, tã, tã, tã, nós três. O trio maravilhoso, quer no calor ou no frio, no tempo bom ou chuvoso, somos o trio Regina!" Quem pensou "É o frio! Não adianta bater...", o anúncio de inverno das Casas Pernambucanas, deve ter menos de quarenta.

A novela ia começar "sob o patrocínio do sabonete de Reuter e do Tricófero de Barry". "Tricófero" era um preparado para fazer nascer cabelo em carecas. A propaganda enganosa era norma na época. "Motorista de ônibus, de praça, particular ou lotação, respeite o sinal, não ande em contramão! E salve o motorista do Brasil (som de buzina: firon-riroon) que é freguês da Mil. Mil, a milionária do Castelo." "Rua da Carioca número cinco – Bazar Francês – é com esse que eu brinco."

E alguns que já são do começo da televisão: "Apenas um pouquinho, Brillcreme, você irá brilhar, Brillcreme, é o melhor caminho... para mil pequenas conquistar" era uma brilhantina gordurosa. Já o Gumex (dura lex, sed lex, no cabelo só Gumex), preparado em casa com álcool e água, deixava o cabelo duro como pedra. "Uma colherinha de Nescafé, açúcar e depois leite, o melhor café com leite é café com leite com Nescafé, eu fiz a prova para ver se é, estou convencida com Nescafé. Nescafé é café, e é um produto Nestlé." "...tem um sabor excelente, de excelente qualidade, freqüenta as xicrinhas bonitas da alta sociedade... Já no tempo dos barões era servido nos salões, café Moinho de Ouro." "Su-su-su-sumuva, Sumuva Mosele, eu adoro Sumuva Mosele, é o gosto da uva, é o gosto legal..." Com esse a mulher do meu tio implicava. Dizia que lembrava nome feio. Isso nos intrigava, pois fugia ao nosso repertório de meninos. Mais tarde deduzimos que o tal nome feio devia ser "suruba". "Wakamoto, Wakamoto, me dá mais disposição, Wakamoto é preparado com segredos do Japão." E o muito conhecido, porque é ótimo: "Se a lâmpada queimar não adianta estrilar, nem bater o pé. O que resolve é ter logo à mão lâmpadas GE. Se você acende a lâmpada GE, nota a diferença, é lâmpada GE. Tenha em casa e bata o pé. Tenha sempre à mão lâmpadas GE." E mais tarde os da Varig. O da linha Rio-Lisboa: "Seu Cabral vinha navegando quando alguém logo foi gritando, 'Terra à vista!', e foi descoberto o Brasil..." O da Rio-Tóquio: "Urashimataru, um pobre pescador, salvou uma tartaruga e ela como prêmio ao Brasil o levou. Pelo reino encantado ele se apaixonou e por aqui ficou." O de fim de ano: "Estrela brasileira no céu azul, iluminando de norte a sul, mensagem de amor e paz, nasceu Jesus, chegou Natal. Papai Noel voando a jato pelo céu, trazendo uma mensagem de felicidade e um Ano Novo cheio de prosperidade."

No seu começo o anúncio de Nescau era "gostoso como uma tarde no circo, o novo Nescau é leve, vitaminado, é instantâneo; com leite, quente ou frio, é gostoso, é sadio", mas o incêndio do circo em Niterói, quando morreram queimadas dezenas de crianças, fez com que ele passasse a "Nescau tem gosto de festa, dá mais vontade de brincar". Aluísio de Oliveira, com aquela voz dos filmes de Disney, recitava: "Há muitos e muitos anos, na grande floresta amazônica uma tribo de índios mauês descobria e cultivava uma planta maravilhosa que pelo mês de setembro dava belos frutos negros. O guaraná!" Mas, enquanto isso no rádio, a fórmula da felicidade estava em nossas mãos: "Tome Urodonal... e viva contente!"

Quando batiam as seis da tarde, longe da ave-maria e dos conselhos de Júlio Louzada, tão famosos que deram até uma marchinha de carnaval ("A mulher do meu melhor amigo, que me telefona todo dia, desde que me viu ficou apaixonada, me dá um conselho, Seu Júlio Louzada"), começava uma série de bons programas na Nacional: o Falcão Negro; *Sons de carrilhões* e *Abismo de rosas* com o violonista Dilermando Reis; o Anjo, com sua metralhadora Lurdinha (ou estou me enganando e Lurdinha era a do Tenório Cavalcanti, e a do Anjo se chamava Matilde?), e finalmente o melhor de todos – Jerônimo, o herói do sertão. Seu fiel companheiro, o Moleque Saci. Sua eterna noiva, Aninha. Seu inimigo de sempre, o Caveira, com Chumbinho de ajudante. Ainda ouço a voz cavernosa do Caveira: "Chumbinho, apresente o seu relatório!" Suas vinhetas musicais eram trechos dramáticos do *La mer* de Debussy. Era dolente a música de abertura: "Quem passar pelo sertão/ vai ouvir alguém falar/ do herói dessa canção/ que eu venho aqui cantar./ Filho de Maria Homem nasceu/ Serro Bravo foi seu berço natal..."

No final dos anos 50 e começo dos 60 o rádio passou a ser fonte de música. João Gilberto cantando *Desafinado* inaugurou para mim a bossa nova (e não *Chega de saudade*, que eu achava legal, mas principalmente erótico, com aquele negócio de "beijinhos que eu darei na sua boca"), e parecia desafinado mesmo, de tão estranho. Quando Edu Lobo lançou seu primeiro disco, a melodia de *Canção do amanhecer* ("Ouve, fecha os olhos meu amor, é noite ainda, que silêncio..."), por mais dissonante que fosse já me atingiu em cheio com sua beleza. Eu já tinha entrado no clima. Mas me apaixonava por músicas americanas também. *Only the lonely*, do Roy Orbeson, estava, em 1962, constantemente nas "Músicas na passarela" da Rádio Tamoio, que já ouvíamos no radinho Spica, o primeiro portátil que surgiu por aqui. E eu votava na "música ciclâmen", ou qual fosse a cor dela para que tocasse de novo entre 5h30min e 6h, nas "dez mais". Tanto as ouvia que elas iam se "queimando", a paixão se perdendo. Tenho hoje um CD do Roy Orbeson e ouço raramente, para que o encanto não se perca de novo.

Em tempo de colégio o bonde era fundamental. Ele já foi cantado em prosa e verso, até música de carnaval teve ("O bonde São Januário/ leva mais um operário/ sou eu que vou trabalhar"), provavelmente o mais charmoso meio de transporte que conhecemos, o que dizer mais sobre ele que não seja o óbvio? "Tudo na vida é passageiro, menos o condutor e o motorneiro." Motorneiro era o motorista do bonde. Condutor, não sei por que, era o nome dado ao cobrador, a se equilibrar pelo balaústre, passando por cima de uma multidão que viajava nos estribos, as mãos com um leque de notas, dobradas ao longo do comprimento e enfiadas em V na base de cada dedo. Ainda restava espaço na concha da mão para reter e fazer tinir as moedas, gritando: "Olha quem já pagou!?" Isso me parecia estranho. Não deveria ser: "Quem ainda não pagou?"

Gostava de ver os artistas em saltar do bonde andando, paradinhos com a perna levantada, lembrando os atletas olímpicos caindo impávidos depois de uma pirueta no ar. Gostava quando numa subida o motorneiro tinha que despejar areia nos trilhos, para causar atrito (a caixa de areia ficava embaixo do primeiro banco). Da maçaneta de latão posta em ponto 9, que fazia o bonde voar. Do cheiro de ozônio produzido pelas faíscas elétricas. Da hora em que o motorneiro descia, tirava a alavanca de seu repouso na frente do bonde e desviava a linha com ela. Era assim que o Laranjeiras fazia a volta na praça Ben Gurion. Era assim que o Águas Férreas, se viesse depois do Laranjeiras, ia parar no Cosme Velho. Gostava do Taioba, cor de café com leite, o raro bonde de carga com assentos ao longo das laterais, que tinha hora certa para passar. Gostava de ver os fiscais, com uniformes importantes e carimbos que pareciam um batom de latão fosco.

O bonde morreu em 1962, substituído pelos ônibus elétricos, os chifrudos (suas tomadas de força, duas varas compridas, saíam do fio quase a cada curva, obrigando o motorista a descer para recolocá-las). Mas antes nos levou ao Centro, no Largo da Carioca, onde ficava o dentista com seu instrumento de tortura movido a cordéis. O elevador com ascensorista já ia dando o frio na barriga cada vez que ele desacelerava o carro com sua maçaneta circular. O andar inteiro cheirava a dentista. Para produzir esse "perfume" havia o óleo de cravo, o clorofórmio (delicioso, dava para sentir algum barato quando ele limpava as cavidades) e o sabonete Phebo com que o Dr. Xavier lavava meticulosamente as mãos. A sala de espera tinha um consolo: o livro com as tiras em quadrinhos do "Comendador". Enquanto o ferrinho de achar cáries era desgraçadamente bem-sucedido, ficávamos horas observando o movimento do luminoso "Longines, o melhor relógio", sobre o Tabuleiro da Baiana (ponto final do bonde), em frente à janela. Nada que se comparasse com a beleza noturna do anúncio da água mineral Salutaris, na Praia de Botafogo, onde as borbulhas do copo cheio faiscavam em luzes brancas. Mas morríamos de inveja dos primos que ganhavam do Dr. Losir Vianna (o dentista deles) um vidrinho com mercúrio, a verdadeira prata líquida, ótimo de brincar.

Estava pensando, o que era mais torturante? A broca movida a cordéis do dentista ou o puxa-cabelos da máquina de aparar antes de ser elétrica, movida a apertos da mão do barbeiro, como se fosse um alicate? Do barbeiro só gostávamos do borrifador (uma chaleira metálica de bico fino e comprido com um tubo e uma pêra vermelhos de borracha para dar pressão. O avô do *spray*), e do cheiro da Acqua Velva, uma loção pós-barba que nos era aplicada onde os acabamentos haviam sido feitos a navalha. Saíamos de lá com aquele abominável corte "Príncipe Danilo", que o jogador Ronaldinho andou ressuscitando, um topete na ponta de uma vasta careca. Muito prático... para as mães. Outro borrifador, avô do spray, era usado pelas meninas para aplicar nos cabelos um laquê feito em casa, sou capaz de jurar que à base de goma-laca (ou seria de breu?). Era menor, a pêra azul servia de base, o mecanismo de borrifar em cima era de plástico e vivia entupindo quando a goma secava. Os cabelos delas ficavam à prova de bala.

De bonde íamos ao Cineac-Trianon ver suas sessões passatempo, sem intervalos e com um relógio iluminado em cima da tela, para os funcionários que trabalhavam no Centro não perderem seu horário. Se quiséssemos ir ver outro filme era preciso ligar para o cinema, saber o horário e a censura, consultando o número do telefone da sala na última página do catálogo de ruas, onde estavam listados todos os cinemas da cidade. Gostava, no Cineac, do globo terrestre chegando perto de *Les actualitées françaises*; do gongo das Organizações Rank; dos *Três patetas* em 3D, todos se abaixando quando as facas eram lançadas sobre a platéia, os óculos próprios devolvidos na saída; do chafariz nazista dos filmes da Atlântida e seu jornal da tela (*Notícias da semana*, que um amigo apelidava de *As tomadas de posse*). O chafariz foi depois substituído por uma maquete ridícula que jorrava água como um bidê enquanto um carrinho de brinquedo era arrastado em frente, sem enganar ninguém.

Ah, a propósito de bidê: tenho saudade dos antigos, com forma de violão, em que se pilotava de frente para os comandos, e não como os de hoje, quando se fica de costas para a parede. Além disso, todos tinham uma tampa de borracha cinza presa a eles por uma correntinha, muito útil para fazer escalda-pés, um porrete para evitar os resfriados quando se tinha pegado muita chuva e friagem. Aliás, pendurado em correntinha ficava o sabonete bola do lavabo, que não diminuía, emagrecia, ainda que mais lentamente, pois secava mais rápido que os que ficavam na saboneteira. Ao lado, a toalha bordada em vagonite, levemente impermeável, mas não tanto quanto as aveludadas.

Havia talco nos banheiros, um cilindro largo de plástico com um pompom dentro. "*Es promesa de Myrurgia*", dizia seu anúncio, em que vários perfumes eram despejados dentro da lata de talco. Entre os sabonetes havia o Vale quanto Pesa, oval e cheiroso, com uma balança dourada no rótulo, e nós achávamos seu nome normalíssimo; o Lifebuoy, com fama de ter sido sabonete para cachorro; o Aristolino, o primeiro sabonete líquido, usado como xampu (os antigos diziam que, quando a Coca-Cola apareceu, todos a acharam idêntica na cor e no cheiro ao Aristolino); o Lever, usado por nove entre dez estrelas de cinema, que fazia uma microespuma removedora da mais oculta impureza dos poros, se você o esfregasse dez segundos entre as mãos (descobrimos depois que qualquer sabonete faz isso); mas queríamos mesmo era o Eucalol, pois dentro de sua caixa com três sabonetes vinham as famosas estampas, espécie de figurinhas que colecionávamos. Entre todos eles se destacavam, para cima, o Madeiras do Oriente, e o Gessy, para baixo, simétricos aos papéis higiênicos Finesse e Tico-Tico (este último destinado ao banheiro das empregadas, numa incorreção política capaz de enrubescer qualquer burguês atual).

As pastas de dente permitiam pouca escolha: a Phillips, com gosto de leite de magnésia; a Dr. Forhams, "medicinal", pior ainda. Quando surgiu a Signal, com suas listras vermelhas, foi um sucesso e um mistério: como conseguiam aplicar aquelas listras? Precisei dissecar uma para descobrir: era o mesmo princípio do bico de confeitar bolo. Quando alguém chegava dos Estados Unidos trazendo (*como presente!*) uma Crest, com gosto de canela e cheiro de coisa americana, aí era um sucesso. É que as viagens eram raras (caras e demoradas). Viajava-se de navio, como o *S.S. Brazil*, o *Ana C*, os italianos *Conte Grande* e *Conte Biancamano*. Eu mesmo vim da Europa no *Eugenio C*, "rapidíssimo", apenas nove dias para cruzar o Atlântico, em uma das últimas linhas transatlânticas regulares. Quase morri de tédio. Quando minhas irmãs foram para a Europa no Super-G Constellation, moderníssimo com seus tanques de gasolina em formato de gota na ponta das asas, foi um avanço e um grande aperto no coração, pois ficávamos na varanda aberta do Aeroporto do Galeão até que o avião levantasse vôo. Quando digo "nós", quero dizer uma multidão: a família inteira *de cada passageiro!*

Depois do cinema, a Leiteria Mineira, dentro da Galeria Cruzeiro do Hotel Avenida (uma galeria em cruz, por onde passavam os bondes debaixo do prédio onde é hoje o Ed. Avenida

Central). Lá comíamos coalhada com torradas Petrópolis (cortadas em três fatias ao comprido, disputávamos a do meio, que não tinha casca). Era um programão, podem crer, ó crianças de *shopping*.

A torrente de nostalgia puxa umas lembranças estranhas: os açougues tinham escarradeiras de pedal, como aquelas de dentista, com agüinha correndo, e uma tampa acionada com o pé, como nessas latas de lixo. Por quê? Não sei. Sei que era hábito cuspir, lembro de uns colegas de colégio treinando cuspe à distância como afirmação de macheza. Mas outras lembranças são lindas, como nome de cores: azul-da-prússia, terra-de-siena, lápis-lázuli... Caetano Veloso me transportou à porta do restaurante Lamas quando falou da "seda azul do papel que envolve a maçã" em seu *Cores e nomes*. Lembro de sair do colégio e atravessar a rua D. Mariana para pegar o lotação na rua Voluntários e ir pisando nas frutinhas dos fícus que cobriam o chão como um tapete. Sabe o plástico de bolhas e a sensação de estourá-las? Pois multiplique o prazer por cem e pode-se chegar perto: a cada pisada dezenas de frutinhas espocavam debaixo da sola do sapato. Um prazer semelhante era explodir entre os dedos as favas maduras da maria-sem-vergonha, que lançava longe suas sementes. Falando em lançar longe suas sementes, corria pelo colégio a moda de uma caneta esferográfica americana com a estampa de uma moça de maiô. Quando virada de cabeça para baixo, o maiô sumia gradualmente e ela ficava pelada. O dono faturava pontos em popularidade.

Lembro do perfume de bala da flor da trepadeira ricassolina; do gosto da pitanga madura tirada do pé em nosso jardim (muito obrigado à Mil Frutas, que ressuscitou o sorvete de pitanga, décadas depois da minha última mordida); do gosto das azedinhas colhidas no jardim e mastigadas ali mesmo; do sorvete de milho verde do Moraes de Ipanema; do cheiro de coisa americana que nos atingia quando o ritual de abrir as malas dos pais, chegados de viagem, começava. E que festa era aquilo, a ansiedade de saber quais eram os nossos presentes. O único senão das voltas de viagem eram as sessões de *slides:* Fulana na torre Eiffel; agora segurando a torre de Pisa, e assim por diante. Sempre o mesmo enquadramento, longe, longe. Sempre a mesma mulher (o marido tirava as fotos) com o mesmo sorriso. Quase todos acabavam dormindo naquele escurinho tedioso.

Trazido da Argentina, o sabonete Hermotes era redondo. E cheiroso, como seria mais tarde a colônia Lancaster, dos tempos em que vi o sapato mais feio de todos que me lembro, de um colega do Santo Inácio que também usava o vinco das calças costurado: couro enrugado cinza, bico quadrado e uma fivela prateada imitando (mal) três colunas do palácio da Alvorada. Ele achava aquilo lindo, "feito pelo Motinha", gabava-se. Nós gostávamos mesmo era do *penny-loafer* feito pelo Moreira, mas sem a moedinha de cobre, que isso era coisa de menina. E na verdade usávamos mesmo era o Vulcabrás, para "bater". Também houve o sapato Tank, com chapinhas de ferro na ponta e nas laterais da sola, dando às mães a impressão de que duraria mais. Apesar de bom para sapatear fazendo barulho, era uma enganação. As chapinhas se soltavam logo e ele virava um sapato comum.

De ferro também eram as rodas dos patins Estrela. Minha irmã e eu ganhamos de Natal e acordamos às cinco da manhã para experimentá-los na área, as presilhas laterais segurando a sola dos sapatos. Um sucesso. Levamos para Petrópolis, para brilhar (ou cair) no rinque Marowill. Faziam um barulhão que ia mudando de acordo com a consistência do cimentado. Hoje em dia tenho medo de ir a Petrópolis e as memórias se esgarçarem, tão boas que eram.

As comidas de lá. Minha avó tinha o hábito de cinco refeições: café da manhã, almoço, lanche, jantar e ceia. A ceia era parecida com o café da manhã, com torradas feitas da fôrma de Petrópolis, envernizada em cima, mas tinha sopa (a de tomate era a predileta) e empadinhas de camarão (com bolinha em cima) e de galinha (lisa). Da cozinha saíam os pães-de-minuto, os come-quente (bolo de fubá feito em forminhas de empada, em que a manteiga se derretia). Havia um guarda-comidas, um armário forrado de tela onde ficavam as cumbucas com o leite para coalhar durante a noite, e onde moravam os biscoitos tareco, os mentirinha e os amanteigados da Casa Durier. Os talheres tinham apoio (dois xis de metal unidos por uma haste), as facas tinham lâminas de aço *oxidável* que precisavam ser amoladas. As nossas prediletas já estavam côncavas de tanta amolação, mas eram uma navalha. Para abrir o gomo da tangerina ao meio não tinha igual (enchíamos o prato de gomos abertos e esvaziados de seus caroços antes de comê-los). Uma vez por ano nos visitava a Mila, amiga das tias Carmen e Beatriz. Ela trazia sempre de sua fazenda uma goiabada de tacho que não pegava forma de tão pastosa e um pote de creme de leite fresco. A combinação era de chorar de bom.

Petrópolis era o lança-perfume Rodouro Metálico e sua válvula de borrachinha vermelha que requeria habilidade para instalar. A coisa mais ousada que eu fazia com o lança-perfume era congelar as formigas cor de Coca-Cola, próprias de lá, para depois vê-las ressuscitar do congelamento e sair andando. E Petrópolis era ler...

A neblina em Petrópolis chamava-se "ruço", não sei por quê. Num fim de tarde muito frio e cinzento eu estava na varandinha da nossa casa, na minha cadeira de leitura predileta, enrolado numa manta xadrez de franjas, mergulhado num livro (*O cão dos Baskervilles*, do Conan Doyle), quando seu clima começou a se instalar à minha volta, pois um ruço fechado vinha descendo a ladeira da rua Buenos Aires como uma onda branca, e em breve me engolfou. Mal se enxergava a lâmpada acesa das luminárias de ágata frisada dos postes, ou mesmo a árvore de magnólia que ficava em frente à casa. O antigo jasmineiro que me cercava carregado de perfume se transformou numa mancha verde indistinta, com pontos brancos. Foi um momento de beleza em que o aconchego e a plenitude na solidão se pareceram àqueles mais gostosos que pela vida afora têm-me produzido meus amores companheiros.

CONHEÇA OUTROS TÍTULOS DA EDITORA SEXTANTE

Dan Brown
O Código Da Vinci

Um assassinato dentro do Museu do Louvre traz à tona uma sinistra conspiração para revelar um segredo que foi protegido por uma sociedade secreta desde os tempos de Jesus Cristo. A vítima é o respeitado curador do museu, Jacques Saunière, um dos líderes dessa antiga fraternidade, o Priorado de Sião, que já teve como membros Leonardo da Vinci, Victor Hugo e Isaac Newton.

Momentos antes de morrer, ele consegue deixar uma mensagem cifrada na cena do crime que apenas sua neta, a criptógrafa francesa Sophie Neveu, e Robert Langdon, um famoso simbologista de Harvard, podem desvendar.

Eles transformam-se em suspeitos e em detetives enquanto tentam decifrar um intricado quebra-cabeça que pode lhes revelar um segredo milenar que envolve a Igreja Católica.

Hal Urban
As grandes lições da vida

O que é essencial? Hal Urban responde a esta pergunta reunindo as 20 lições de vida que precisamos aprender para alcançar o sucesso e a felicidade. Sem propor fórmulas mágicas, esse livro nos fala de valores eternos como respeito, bondade, honestidade, compromisso e trabalho duro, e nos ensina como dar valor ao que realmente é importante em nossa vida.

David Niven

Os 100 segredos dos bons relacionamentos

Por que tantos casais apaixonados acabam se separando depois que vão morar sob o mesmo teto? Quais são os segredos para se manter um relacionamento rico e amoroso em meio às demandas do trabalho, dos filhos e dos nossos próprios sonhos e planos?

Depois de analisar estudos e pesquisas científicas sobre os hábitos de namoro e casamento de milhares de pessoas, o psicólogo e cientista social David Niven reuniu dicas, conselhos e histórias para orientar todos aqueles desejam ter uma relação sólida e feliz.

Os 100 segredos das pessoas felizes

Não existe a menor dúvida: ser feliz é o desejo de todo ser humano. Mas o que é ser feliz e como fazer para atingir a felicidade com que todos sonhamos? Baseado em pesquisas, David Niven organizou a lista dos 100 segredos mais simples que são realmente capazes de tornar as pessoas felizes.

Os 100 segredos das pessoas de sucesso

Neste livro, o autor se debruça sobre as pesquisas que identificaram as práticas, princípios e crenças necessários para se ter sucesso. De forma simples e agradável, apresenta em cada capítulo uma dessas conclusões, acompanhada de um exemplo real e de um conselho que você deve colocar em prática ser quer realmente "chegar lá".

Douglas Adams
O guia do mochileiro das galáxias

Considerado um dos maiores clássicos da literatura de ficção científica, *O guia do mochileiro das galáxias*, o primeiro título da famosa série escrita por Douglas Adams, vem encantando gerações de leitores ao redor do mundo com seu humor afiado.

Ele conta as aventuras espaciais do inglês Arthur Dent e de seu amigo Ford Prefect. A dupla escapa da destruição da Terra pegando carona numa nave alienígena, graças aos conhecimentos de Prefect, um ET que vivia disfarçado de ator desempregado enquanto fazia pesquisa de campo para a nova edição do melhor guia de viagens interplanetário.

Neale Donald Walsch
Aprendendo a conviver com quem se ama

Os relacionamentos são a experiência mais importante de nossa vida. Nós nos relacionamos o tempo inteiro com a família, com os amigos, com o trabalho e com nós mesmos. Nada nos dá tanta alegria quanto conviver com quem amamos. Mas também não há nada tão complicado e doloroso.

Mesmo pessoas confiantes e competentes são diariamente confrontadas com a dificuldade de relacionar-se até com seus seres mais queridos.

Nesse livro, você vai encontrar ajuda para tentar construir relacionamentos mais felizes.

Allan e Barbara Pease

Por que os homens fazem sexo e as mulheres fazem amor?

"Esse livro é leitura obrigatória para todos os homens e mulheres que se amam, se odeiam ou simplesmente convivem. Você vai aprender sobre si, sobre o sexo oposto e como melhorar seus relacionamentos."

Dr. Denis Waitley, autor de *Impérios da mente*

Você vai conhecer os importantes avanços da ciência da evolução humana e como suas descobertas se aplicam ao relacionamento entre homens e mulheres. Serão apresentadas algumas conclusões perturbadoras e controvérsias vão surgir, mas vamos nos reconhecer, entender melhor muitas coisas e, certamente, aprender a conviver melhor.

Por que os homens mentem e as mulheres choram?

Com base em pesquisas e estudos científicos, os autores de *Por que os homens fazem sexo e as mulheres fazem amor?* – mais de seis milhões de exemplares vendidos ao redor do mundo – explicam o comportamento sempre imprevisível do "outro sexo". De forma clara e bem-humorada, eles respondem às nossas principais dúvidas e apresentam soluções práticas para tornar a convivência entre homens e mulheres mais prazerosa.

Stephen Covey
Princípios essenciais das pessoas altamente eficazes

Com mais de 15 milhões de exemplares vendidos em todo o mundo, *Os 7 hábitos das pessoas altamente eficazes* se tornou um dos livros mais influentes dos últimos tempos.

Para iluminar os princípios dos 7 hábitos, Stephen Covey reuniu nesse livro a sabedoria de grandes pensadores, idéias inspiradoras que podem nos ajudar a realizar nosso potencial, influenciando positivamente o resultado de cada dia.

Tim Sanders
O amor é a melhor estratégia

Ter um trabalho gratificante, ganhar o respeito e a amizade dos colegas, ser capaz de aprender sempre mais, fazer mais negócios, influenciar positivamente as pessoas – estes são os temas de *O amor é a melhor estratégia*. Tim Sanders apresenta nesse livro os três pilares do sucesso e da realização profissional: conhecimento, rede de relacionamentos e compaixão.

CONHEÇA OS 25 CLÁSSICOS DA SEXTANTE

- *Muitas vidas, muitos mestres, Só o amor é real* e *Meditando com Brian Weiss,* de Brian Weiss
- *Conversando com os espíritos* e *Em busca da espiritualidade,* de James Van Praagh
- *A última grande lição,* de Mitch Albom
- *Enquanto o amor não vem,* de Iyanla Vanzant
- *A oração de São Francisco,* de Leonardo Boff
- *O ócio criativo,* de Domenico De Masi
- *Mantenha o seu cérebro vivo,* de Lawrence C. Katz e Manning Rubin
- *Por que os homens fazem sexo e as mulheres fazem amor?,* de Allan e Barbara Pease
- *Uma ética para o novo milênio* e *Palavras de sabedoria,* do Dalai-Lama
- *Histórias para aquecer o coração,* de Mark Victor Hansen e Jack Canfield
- *100 segredos das pessoas felizes* e *100 segredos das pessoas de sucesso,* de David Niven
- *Aprendendo a gostar de si mesmo,* de Louise Hay
- *Um dia "daqueles", Querida mamãe* e *O sentido da vida,* de Bradley Trevor Greive
- *Você é insubstituível* e *Dez leis para ser feliz,* de Augusto Cury
- *A vida é bela,* de Dominique Glocheux
- *Faça o que tem de ser feito,* de Bob Nelson
- *Não leve a vida tão a sério,* de Hugh Prather

INFORMAÇÕES SOBRE OS PRÓXIMOS LANÇAMENTOS

Para receber informações sobre os próximos lançamentos da EDITORA SEXTANTE, queira entrar em contato com nossa Central de Atendimento, dando seu nome, endereço e telefone para:

EDITORA SEXTANTE
R. Voluntários da Pátria, 45 – Gr. 1.404 – Botafogo
22270-000 – Rio de Janeiro – RJ
Tel.: (21) 2286-9944 – Fax: (21) 2286-9244
DDG: 0800-22-6306 (ligação gratuita)
E-mail: atendimento@esextante.com.br

Para saber mais sobre nossos títulos e autores, e enviar seus comentários sobre este livro, visite o nosso site:
www.sextante.com.br

Impresso em papel Chamois Bulk Alta Performance Dunas 90g/m² da Ripasa S/A, fabricado em harmonia com o meio ambiente.